FONDUES, ETC.

FONDUES, ETC.

Plus de 100 délicieuses recettes

PAR GINA STEER

MODUS VIVENDI

Version française publiée par **Les Publications Modus Vivendi Inc.**
3859, autoroute des Laurentides
Laval (Québec) H7L 3H7

Dépôt légal : 1er trimestre 2000
Bibliothèque nationale de Québec
Bibliothèque nationale du Canada
Bibliothèque nationale de France

Traduit de l'anglais par Chantal Cerboni

Mise en page de l'édition française : Michelle Leduc

Directeur de la création : Richard Dewing
Directeur artistique : Paula Marchant
Designer : Deep Design
Directrice de projet : Amanda Dixon
Editrice : Margaret Gilbey
Photographies : Ian Garlick
Styliste culinaire : Kathryn Hawkins

Données de catalogage avant publication (Canada)
Steer, Gina
Fondues, etc. : plus de 100 délicieuses recettes

Traduction de : The fondue cookbook.
Comprend un index.

ISBN 2-921556-99-5

1. Fondue. I. Titre.

TX825.S7314 2000 641.8'1 C99-941680-4

REMERCIEMENTS DE L'AUTEUR
Mes remerciements à Le Creuset pour l'aide et les informations apportées sur l'histoire et la tradition de la fondue. Un grand merci à ma famille et mes amis qui ont goûté à toutes ces fondues.

Certaines recettes de cet ouvrage utilisent des œufs crus. Il est cependant déconseillé aux enfants, aux personnes malades ou âgées ainsi qu'aux femmes enceintes d'en consommer, en raison du léger risque de salmonelle qu'ils présentent.

ADAPTATION DES INGRÉDIENTS

CANADIEN	FRANÇAIS
crème sure	crème aigre
sherry xérès	brandy cognac, eau-de-vie
crème riche	crème fraîche épaisse
crème légère	crème liquide

TABLE DES MATIÈRES

INTRODUCTION

Si les fondues de toutes sortes sont aujourd'hui appréciées dans le monde entier, il ne faut cependant pas oublier que ce plat a vu le jour en Suisse il y a déjà quelques siècles, en raison des conditions climatiques et géographique propres à ce pays. La fondue y est d'ailleurs aujourd'hui le plat national.

Les hivers rigoureux qui frappent les Alpes isolaient pendant des mois de petits villages du monde extérieur, et l'approvisionnement en nourriture était difficile. Les seuls vivres disponibles alors dans ces régions étaient le fromage, le vin et le pain. Pendant l'hiver, le fromage, fabriqué en été, séchait. Les villageois ont donc dû mettre au point un plat à la fois nourrissant et agréable. C'est ainsi que naquit la fondue, qui vient du mot fondre. La fondue suisse originale, issue de Neufchâtel, était fabriquée avec du gruyère et de l'emmenthal. Les villages voisins adoptèrent rapidement ce plat et le personnalisèrent en utilisant des fromages et des produits régionaux. De ce fait, il existe aujourd'hui toutes sortes de fondues. Celles rassemblées dans cet ouvrage sont mes favorites.

La France est réputée pour sa fondue bourguignonne (page 30), qui consiste à faire frire des lamelles de steak de bœuf de première qualité dans de l'huile chaude, puis à les tremper dans une sauce relevée. Dans la version asiatique (page 48), on utilise une marmite mongole où les ingrédients sont mis à cuire dans un bouillon parfumé ; d'autres fondues sont à base de légumes et de viandes trempés dans une sorte de pâte à beignet puis frits dans de l'huile brûlante. Enfin, il existe également des fondues diablement délicieuses à base de chocolat et de fruits, que l'on mange en collation ou en dessert. En fait, pratiquement toutes ces fondues peuvent être préparées dans un poêlon pour faciliter vos réceptions et les rendre plus conviviales.

Pour qu'une fondue de fromage reste crémeuse, vous devez y tremper vos ingrédients en dessinant des huit. La tradition veut que celui qui perd son ingrédient dans la fondue se voie attribuer un gage : les femmes doivent embrasser tous les hommes présents à table, et les hommes doivent offrir à la maîtresse de maison une bouteille de vin ou un verre de kirsch. Si vous perdez votre ingrédient deux fois de suite, c'est à vous d'organiser le repas de fondue suivant.

Pendant que la fondue reste sur le réchaud, il se forme à la base du poêlon une croûte délicieuse. Cette dernière est considérée comme le mets le plus fin du repas, et doit être partagée de façon équitable entre les convives.

On ne consomme habituellement pas de boissons froides avec la fondue, car elles ont la réputation de donner des indigestions. Servez à la place du thé non sucré, du jus de fruit ou même du vin chaud, et offrez un verre d'eau-de-vie, de schnaps ou de kirsch en guise de «trou normand» au milieu du repas. La fondue s'accompagne également à merveille d'un verre de vin ayant servi à sa préparation, servi de préférence à température ambiante.

CONSEILS

Il existe toutes sortes de poêlons à fondue, de forme et de type différents, jusqu'au poêlon conçu spécifiquement pour les fondues au chocolat ; mais quel que soit le type de poêlon utilisé, certaines règles de sécurité doivent impérativement être respectées.

- Avant la première utilisation de votre poêlon, lisez attentivement les instructions du fabricant et soyez extrêmement prudent lorsque vous y versez de l'huile ou du bouillon chaud.
- Allumez le réchaud avec prudence, et placez-le sur une protection ininflammable. N'ajoutez jamais d'alcool dans le brûleur lorsque ce dernier est allumé ou encore chaud.
- N'utilisez jamais un brûleur endommagé, et protégez-vous toujours avec des gants ou un linge épais pour manipuler le poêlon.
- Les fondues de fromage ou de chocolat brûlent facilement et doivent être tenues au chaud à feu très doux.

LES FONDUES DE FROMAGE

- Pour les fondues de fromage, utilisez un poêlon à fond épais, métallisé, émaillé ou en fonte, ou un poêlon en terre cuite avec un émail épais, qui empêchera le fromage de brûler.
- Utilisez un fromage fort : faites-le d'abord fondre à feu doux, puis placez-le sur le réchaud où il sera maintenu à faible ébullition. Ne faites surtout pas bouillir le mélange car le fromage deviendrait filant. Si toutefois cela se produit, baissez le feu et poursuivez la cuisson à feu doux, jusqu'à ce que le fromage soit fondu et que le mélange soit homogène.
- Choisissez toujours un vin blanc sec ou du cidre. Il est normal que, dans un premier temps, le fromage ne se mélange pas au vin. Ne vous inquiétez pas et continuez de mélanger ; la préparation deviendra petit à petit lisse et onctueuse.
- Si le fromage reste en paquet au fond du poêlon, augmentez légèrement le feu et continuez de remuer. S'il caille, ajoutez une cuillère à thé de jus de citron et battez énergiquement. Cela devrait vous permettre de rattraper votre fondue.

- Si la fondue s'épaissit trop, ajoutez un peu de vin ou de cidre chaud ; si elle est trop liquide, ajoutez un peu de fleur de maïs diluée dans un fond d'eau.
- Les morceaux de pain à tremper doivent être légèrement rassis afin de ne pas s'émietter dans la fondue. Vous pouvez proposer des salades en accompagnement, et si vous pensez que vos invités ne sont pas totalement rassasiés, bien que la fondue soit un plat particulièrement nourrissant, vous pouvez servir des fruits en dessert.
- Les restes de fondues de fromage peuvent être réutilisés dans des soupes, pour napper des pommes de terre en robe des champs ou dans des sauces tomate.
- N'oubliez pas que toutes les fondues sont extrêmement chaudes, alors prenez garde de ne pas vous brûler la bouche.

LES FONDUES A BASE DE VIANDE, POISSON ET FRUITS DE MER

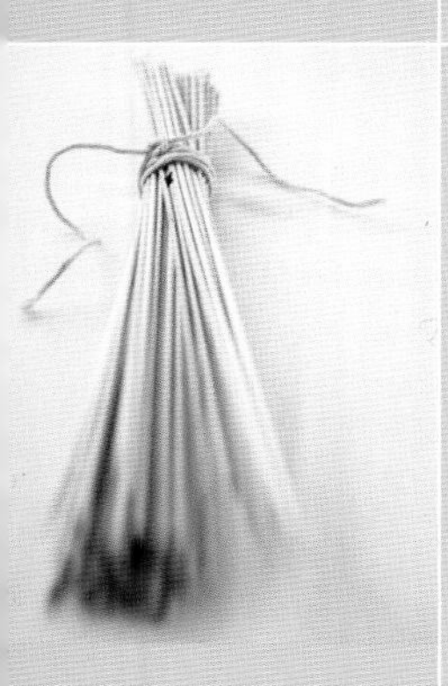

- Les fondues comme la fondue mongole au poulet, où les ingrédients sont cuits dans un bouillon frémissant, doivent être préparées dans des poêlons qui transmettent rapidement la chaleur et gardent le bouillon à sa température maximum. Le poêlon doit être rempli à un peu plus de la moitié, pas plus.
- Si la cuisson se fait dans de l'huile, sa température doit tourner autour de 180 à 190 °C (350 à 375 °F). Si vous ne disposez pas d'un thermomètre, plongez un petit cube de pain dans l'huile. Le pain devient doré en trente secondes environ si l'huile est à la bonne température.
- Sauf indication contraire, utilisez toujours une huile végétale de votre choix.
- Vous pouvez, si vous le souhaitez, ajouter un peu d'huile parfumée à l'huile de friture.
- Pour les viandes et les poissons, choisissez des viandes de bonne qualité qui cuisent rapidement et des poissons à chair ferme qui ne se désagrégeront pas à la cuisson. Pour relever ces fondues, servez-les avec des sauces dans lesquelles tremper les aliments cuits.
- La viande et le poisson doivent être bien séchés avant d'être frits, afin d'éviter les projections d'huile. Si vous plongez trop d'ingrédients en même temps dans l'huile, sa température baisse et il est parfois nécessaire de remettre l'huile à chauffer sur la cuisinière.

LES FONDUES SUCRÉES

- Si vous ne disposez pas d'un poêlon spécifiquement conçu pour la fondue au chocolat — avec un repère pour le niveau maximum de remplissage en chocolat et dont la forme est légèrement différente de celle des poêlons ordinaires — vous pouvez néanmoins utiliser n'importe quel type de poêlon.
- D'une façon générale, ne faites jamais bouillir le chocolat car cela gâterait son arôme : il doit être consommé tiède, et non chaud. Souvenez-vous que le chocolat brûle très facilement.
- Si vous mettez au frais les fruits à tremper avant de les servir, vous remarquerez que le chocolat les nappera plus facilement.

Les repas «Fondue» sont faits pour s'amuser. Alors feuilletez ce livre, sélectionnez les recettes qui vous tentent et invitez quelques amis avec qui vous passerez une bonne soirée amusante et décontractée, tout en vous régalant.

POISSONS ET FRUITS DE MER

FONDUE **DE GROSSES CREVETTES THAÏ**

CETTE FONDUE EST DIFFÉRENTE : ICI, LES CREVETTES SONT CUITES DANS UN COURT-BOUILLON, PUIS ON Y AJOUTE DES GERMES DE SOJA ET DES NOUILLES EN FIN DE CUISSON.

Otez la veine dorsale des crevettes, rincez-les légèrement et séchez-les avec du papier absorbant. Placez-les dans de petits bols, décorez de quartiers de citron vert et de coriandre fraîche, couvrez et mettez au réfrigérateur.

Mettez le gingembre, la citronnelle, les piments, l'ail, le zeste de citron vert et le bouillon dans un poêlon à fondue mongole et portez à ébullition. Laissez frémir pendant 15 minutes, puis ajoutez-y la coriandre ciselée. Placez-le ensuite sur le réchaud.

Mélangez tous les ingrédients de la sauce et réservez.

Piquez les crevettes sur les fourchettes et faites-les cuire 1 à 2 minutes dans le court-bouillon chaud, puis trempez-les dans la sauce avant de les manger.

Une fois que toutes les crevettes sont cuites, ajoutez les nouilles et les germes de soja dans le court-bouillon, laissez cuire 1 à 2 minutes, puis servez dans des bols et consommez comme une soupe.

6 *personnes*
Préparation : **5 minutes**
Cuisson : **20 à 22 minutes**

900 g / 2 lb de grosses crevettes crues décortiquées
1 c. à table de racine de gingembre râpée
2 brins de citronnelle
1 à 3 piments forts, épépinés et émincés
2 ou 3 gousses d'ail pelées
Le zeste râpé d'un demi citron vert
750 ml / 1 1/4 pt de court-bouillon ou d'eau
3 c. à table de coriandre fraîche ciselée
75 g de longues nouilles sèches aux œufs
50 g / 2 oz de germes de soja

SAUCE

1 c. à table de sauce de soja
2 c. à thé de sauce de poisson ou 1/2 c. à thé de sel
2 c. à thé de miel clair tiède
1 piment fort, épépiné et émincé

GARNITURE

Quartiers de citron vert et coriandre fraîche

FONDUE **AUX SCAMPI CROUSTILLANTS**

LES SCAMPI SONT PARFOIS DIFFICILES À PIQUER SUR LA FOURCHETTE À FONDUE. ESSAYEZ DE LES PIQUER PAR TROIS OU QUATRE POUR LES CUIRE.

Otez la veine dorsale des crevettes, rincez-les légèrement, séchez-les avec du papier absorbant et réservez. Mélangez le zeste de citron, le piment, la farine, le sel et le poivre. Roulez les crevettes dans ce mélange et laissez mariner pendant au moins une demi-heure.

Placez séparément les deux œufs battus et la chapelure dans deux assiettes creuses. Plongez les crevettes dans les œufs battus, laissez l'excédent d'œuf retomber, puis roulez-les dans la chapelure. Placez-les ensuite dans le plat de service et parsemez de persil haché.

Faites chauffer l'huile dans le poêlon, puis placez ce dernier sur le réchaud afin de maintenir l'huile chaude.

Chaque convive peut ensuite piquer les crevettes sur sa fourchette et les frire dans l'huile chaude 1 à 2 minutes, jusqu'à ce qu'elles soient dorées et croustillantes. Servez accompagné de sauce tartare, de quartiers de citron et de pains grecs garnis de laitue, de concombre et de tomates cerises.

En plat principal : **4 personnes ;**
en entrée : **8 personnes**

Préparation : **10 minutes, plus 30 minutes pour la marinade**

Cuisson : **2 à 3 minutes par crevette**

450 g / 1 lb de grosses crevettes crues décortiquées
2 c. à table de zeste de citron râpé
1 1/2 c. à thé de piment fort déshydraté en poudre
2 c. à table de farine
Sel et poivre noir fraîchement moulu
2 œufs moyens, battus
50 g / 2 oz de chapelure
600 ml / 1 pt d'huile pour la friture

GARNITURE

Persil

ACCOMPAGNEMENT

Sauce tartare *(page 100)*, quartiers de citrons, pains grecs chauds garnis de feuilles de laitue émincées, de rondelles de concombre et de tomates cerises coupées en quatre

FONDUE **AU HADDOCK IVRE**

POUR CETTE FONDUE, CHOISISSEZ DES FILETS DE POISSON BIEN ÉPAIS ET DÉTAILLEZ-LES EN GROS CUBES.

4 à 6 *personnes*
Préparation : **35 minutes**
Cuisson : **2 à 3 minutes par morceau**

675 g / $1^1/_2$ lb de filets de haddock fumé sans peau ni arêtes (réservez les parures)
1 grosse carotte
1 oignon moyen
1 petit bouquet de fines herbes
Quelques grains de poivre noir
250 ml / 8 oz de vin blanc sec
475 ml / 16 oz d'eau

GARNITURE
Quartiers de citron et cerfeuil frais

ACCOMPAGNEMENT
Mayonnaise crémeuse aux herbes *(page 104)*, pain chaud croustillant et assortiment de salades

Rincez le poisson et séchez-le. Détaillez-le en gros cubes ou en lanières. Placez le poisson dans de petits bols, décorez avec des quartiers de citron et du cerfeuil, couvrez et réservez au réfrigérateur.

Epluchez la carotte et l'oignon et coupez-les en tranches. Mettez-les dans une grande casserole avec les parures de poisson, les fines herbes, les grains de poivre, le vin et l'eau. Portez à ébullition et laissez frémir au moins 30 minutes. Transvasez dans le poêlon et placez-le sur le réchaud allumé.

Piquez les morceaux de poisson sur les fourchettes et plongez-les dans le court-bouillon chaud pendant 2 à 3 minutes. Servez avec la mayonnaise, le pain et les salades.

MARMITE **DE POISSON ASIATIQUE**

UTILISEZ UN ASSORTIMENT DE POISSONS DE COULEURS ET DE TEXTURES DIFFÉRENTES.

6 *personnes*
Préparation : **15 minutes**
Cuisson : **22 à 23 minutes**

900 g / 2 lb de filets de poissons assortis (cabillaud, saumon, lotte, noix de Saint-Jacques, etc.)
1 grosse carotte, épluchée et coupée en rondelles
1 gros oignon, épluché et coupé en rondelles
2 piments, épépinés et émincés
Un peu de persil frais
4 fleurs d'anis étoilé
1 c. à thé de grains de poivre noir
1 c. à table de racine de gingembre râpée
750 ml / $1^1/_4$ pt d'eau
4 c. à table de sherry
1 c. à table de sauce de soja

GARNITURE
Coriandre fraîche et quartiers de citron vert

ACCOMPAGNEMENT
Riz glutineux (grains courts) et salade verte chinoise mixte *(page 108)*

Parez le poisson, réservez les parures et retirez bien toutes les arêtes. Nettoyez les noix de Saint-Jacques si vous en utilisez. Détaillez le poisson en cubes, placez-les dans de petits bols et décorez avec la coriandre et les quartiers de citron vert. Couvrez et réservez au réfrigérateur.

Mettez la carotte, l'oignon et les piments dans la marmite mongole avec les parures de poisson, le persil, le reste des épices et l'eau. Portez à ébullition, puis laissez frémir 20 minutes ou jusqu'à ce que le court-bouillon ait réduit d'environ un tiers. Passez-le, remettez-le dans la marmite, puis ajoutez le sherry et la sauce de soja.

Faites chauffer le court-bouillon, puis posez-le sur le réchaud allumé et laissez frémir à feu doux.

Piquez les morceaux de poisson sur les fourchettes et plongez-les dans le court-bouillon chaud pendant 2 à 3 minutes. Servez avec le riz et la salade.

FONDUE **AU SAUMON**

CETTE RECETTE, À LA FOIS ORIGINALE ET AMUSANTE, FERA LE DÉLICE DE VOS AMIS COMME DE VOTRE FAMILLE. L'ARÔME DES ÉPICES ASIATIQUES PARFUME SUBTILEMENT LE SAUMON TANDIS QU'IL EST POCHÉ DANS LE LAIT DE COCO.

Dans une casserole, versez le lait de coco ainsi que le piment, le gingembre, la citronnelle, l'anis étoilé, les ciboules (échalotes) et la carotte, et laissez frémir à feu doux pendant 15 minutes. Retirez la casserole du feu et laissez infuser 15 minutes, passez le liquide puis versez-le dans le poêlon.

Posez le poêlon sur le réchaud allumé et faites chauffer. Retirez toutes les arêtes du saumon, rincez-le légèrement puis séchez-le avec du papier absorbant. Détaillez-le en cubes.

Mêlez la coriandre et la fleur de maïs, et enduisez le saumon de ce mélange. Laissez mariner pendant 45 minutes.

Piquez les dés de saumon sur des fourchettes à fondue ou des piques en bois, et faites-les pocher dans le lait de coco aromatisé pendant 2 ou 3 minutes. Servez avec la salade verte chinoise mixte.

4 à 6 *personnes*
Préparation : **6 à 8 minutes plus 15 minutes pour l'infusion et 45 minutes pour la marinade**
Cuisson : **2 à 3 minutes par morceau**

600 ml / 1 pt de lait de coco non sucré
2 piments, épépinés et émincés
1 c. à table de racine de gingembre râpée
2 brins de citronnelle ciselés
3 ou 4 fleurs d'anis étoilé
3 ou 4 ciboules (échalotes), épluchées et émincées
1 grosse carotte râpée
550 g / 1 lb 4 oz de pavés de saumon frais sans peau
2 c. à table de coriandre ciselée
2 c. à table de fleur de maïs

ACCOMPAGNEMENT
Salade verte chinoise mixte ***(page 108)***

LE CHAUDRON **BOSTONIEN**

SOUPER IDÉAL POUR DES RÉUNIONS DÉCONTRACTÉES. DANS CETTE RECETTE, VOUS POUVEZ UTILISER AUSSI BIEN DES CLAMS FRAIS QU'EN CONSERVE. SI VOUS CHOISISSEZ DES CLAMS FRAIS, PRÉPAREZ-LES ET CUISEZ-LES AVANT DE LES UTILISER ICI.

6 *personnes*
Préparation : **5 minutes**
Cuisson : **8 à 10 minutes**

50 g / 2 oz de beurre
8 petits oignons frais, épluchés et émincés
6 c. à table de farine
350 ml / 12 oz de lait
550 g / 1¼ lb de clams frais (préparés) ou en conserve
125 ml / 4 oz de jus de clams (si vous utilisez une conserve)
3 c. à table de jus de citron
100 g / 4 oz de maïs doux
2 c. à table de persil haché
Quelques gouttes de tabasco
Sel et poivre noir fraîchement moulu

ACCOMPAGNEMENT
Pommes de terre nouvelles, poivrons rouges et verts en lamelles et branches de céleri à tremper

Mettez le beurre à fondre à feu doux dans le poêlon en remuant de temps en temps. Ajoutez les oignons frais et laissez cuire 2 minutes. Ajoutez la farine, mélangez, et laissez encore cuire 2 minutes.

Versez progressivement le lait tout en remuant, portez à ébullition et laissez frémir pendant 2 minutes. Egouttez les clams s'ils sont en conserve et récupérez le jus. Puis ajoutez ce jus dans le poêlon ainsi que le jus de citron, le maïs, le persil, le tabasco, le sel et le poivre. Faites cuire 2 à 3 minutes, jusqu'à ce que le maïs soit cuit.

Ajoutez alors les clams, et posez le poêlon sur le réchaud allumé. Laissez chauffer quelques minutes. Servez accompagné de pommes de terre, de lamelles de poivron et de branches de céleri.

FONDUE **À LA SOLE ET À L'ORANGE**

LA SOLE EST UN POISSON DÉLICAT QUI DEMANDE UNE CUISSON TRÈS COURTE. DÉTAILLEZ LE POISSON EN LANIÈRES SANS EN RETIRER LA PEAU, DE FAÇON À POUVOIR PIQUER LES MORCEAUX SUR LES FOURCHETTES À FONDUE SANS QU'ILS NE TOMBENT AU FOND DU POÊLON PENDANT LA CUISSON.

4 *personnes*
Préparation : **8 à 10 minutes, plus 30 minutes pour la marinade**
Cuisson : **1 à 2 minutes par morceau**

675 g / 1½ lb de filets de sole
Le zeste râpé d'une grosse orange
4 c. à table de jus d'orange
1 c. à table de miel liquide à la fleur d'oranger, tiédi
2 c. à thé de fleur de maïs
Sel et poivre noir fraîchement moulu
600 ml / 1 pt d'huile de tournesol pour la friture

GARNITURE
Quartiers d'orange et estragon

ACCOMPAGNEMENT
Pommes de terre nouvelles, mayonnaise verte ***(page 96)*** **et salade d'avocats et de mangue** ***(page 106)***

Rincez légèrement le poisson puis séchez-le avec du papier absorbant. Détaillez-le en lanières et réservez.

Mélangez le zeste d'orange, le miel, la fleur de maïs, le sel et le poivre, et versez le tout sur les lanières de sole. Laissez mariner 30 minutes. Placez-les ensuite dans de petits bols et décorez avec des quartiers d'orange et de l'estragon.

Mettez l'huile à chauffer dans le poêlon, que vous poserez ensuite sur le réchaud allumé.

Piquez les lanières de sole sur les fourchettes à fondue et faites-les frire dans l'huile chaude pendant 1 à 2 minutes, jusqu'à ce qu'elles soient croustillantes. Servez accompagné des pommes de terre, de la salade et de la mayonnaise.

FONDUE **AU POISSON FUMÉ CROUSTILLANT**

CETTE FONDUE PRÉSENTE L'AVANTAGE DE POUVOIR SE PRÉPARER À L'AVANCE, CE QUI VOUS PERMET DE PROFITER PLEINEMENT DE VOTRE SOIRÉE EN COMPAGNIE DE VOS INVITÉS.

Retirez la peau du poisson et détaillez-le menu. Réservez.

Dans une petite casserole, faites fondre le beurre, puis ajoutez la farine et laissez cuire 2 minutes. Retirez du feu et versez progressivement le lait tout en remuant, puis remettez sur le feu et attendez que le mélange épaississe, sans cesser de remuer.

Retirez du feu et ajoutez les morceaux de poisson, le zeste de citron, l'essence d'anchois, les oignons frais et le persil. Mélangez légèrement, puis versez le tout dans un saladier, couvrez et mettez au réfrigérateur pendant au moins 30 minutes (plus longtemps si vous pouvez).

Mettez les œufs battus dans une assiette creuse et la chapelure dans une autre. Formez des boulettes avec le mélange au poisson refroidi, trempez-les dans les œufs en laissant l'excédent retomber, puis roulez-les dans la chapelure. Réservez au réfrigérateur.

Faites chauffer l'huile dans le poêlon, puis placez ce dernier sur le réchaud allumé. Piquez les boulettes de poisson sur des brochettes et faites-les frire dans l'huile chaude pendant 2 à 3 minutes, jusqu'à ce qu'elles soient croustillantes. Garnissez de quartiers de citron et servez accompagné de sauce tartare, de coleslaw et de pommes de terre frites.

4 à 6 *personnes*
Préparation : **15 minutes, plus 30 minutes pour la marinade**
Cuisson : **2 à 3 minutes par morceau, plus 5 minutes pour la sauce**

350 g / 12 oz de filets de maquereaux fumés
50 g / 2 oz de beurre
50 g / 2 oz de farine
250 ml / 8 oz de lait
Le zeste râpé d'un citron
1 c. à thé d'essence d'anchois
6 petits oignons frais émincés finement
1 c. à table de persil frais haché
2 œufs moyens, battus
100 g / 4 oz de chapelure
600 ml / 1 pt d'huile pour la friture

GARNITURE
Quartiers de citron

ACCOMPAGNEMENT
Sauce tartare ***(page 100)*****, coleslaw au zeste d'orange** ***(page 114)*****, pommes de terre frites**

FONDUE **AUX POISSONS MÉLANGÉS**

ROULEZ LE POISSON DANS LA FLEUR DE MAÏS AFIN D'ÉVITER QU'IL NE SE DÉSAGRÈGE EN COURS DE CUISSON.

6 à 8 *personnes*
Préparation : **15 minutes, plus 15 minutes pour la marinade**
Cuisson : **2 à 4 minutes par morceau**

900 g / 2 lb de poissons mélangés (lotte, saumon, cabillaud, grosses crevettes, noix de Saint-Jacques)
2 gros blancs d'œufs
2 ou 3 c. à thé de tabasco, ou plus selon les goûts
2 ou 3 c. à table de coriandre fraîche ciselée
3 c. à table de fleur de maïs
600 ml / 1 pt d'huile pour la friture

GARNITURE
Persil et quartiers de citron

ACCOMPAGNEMENT
Sauce à la crème sure *(page 103)*, salade d'artichauts et de haricots vinaigrette *(page 111)* et riz

Parez le poisson et retirez bien toutes les arêtes. Décortiquez les crevettes, le cas échéant, et retirez la veine dorsale. Rincez légèrement et séchez avec du papier absorbant. Détaillez le poisson en cubes et placez-les dans une assiette creuse.

Battez les blancs d'œufs, puis ajoutez-y le tabasco et la coriandre. Mettez la fleur de maïs dans un saladier et battez-la avec le mélange aux blancs d'œufs.

Versez la préparation aux blancs d'œufs sur le poisson et mélangez délicatement afin de bien napper les morceaux. Couvrez et placez au réfrigérateur pendant 15 minutes. Disposez le tout sur un plat de service et décorez avec du persil et des quartiers de citron.

Faites chauffer l'huile, puis versez-la dans le poêlon. Placez ensuite ce dernier sur le réchaud allumé. Piquez les morceaux de poisson sur des fourchettes à fondue et faites-les frire pendant 2 à 3 minutes. Enfin, servez accompagné de sauce à la crème sure, de salade d'artichauts et de haricots vinaigrette et de riz.

Fondue au thon et à la tomate

FONDUE **AU THON ET À LA TOMATE**

CETTE FONDUE CONSTITUE UN PLAT DE RÉSISTANCE NOURRISSANT ACCOMPAGNÉE DE PAIN CHAUD, DE POMMES DE TERRE EN ROBE DES CHAMPS ET D'UNE SALADE VERTE.

4 *personnes*
Préparation : **10 minutes**
Cuisson : **22 à 25 minutes, plus 2 minutes par morceau de thon**

450 g / 1 lb de thon frais
Basilic frais
1 c. à table d'huile d'olive
1 petit oignon émincé
2 ou 3 gousses d'ail, pelées et hachées
450 g / 1 lb de tomates mûres pelées
1 c. à table de concentré de tomates
2 c. à table d'eau
120 ml / 4 oz de vin blanc
120 ml / 4 oz d'eau
Sel et poivre noir fraîchement moulu
1 poivron rouge et 1 poivron jaune, épépinés et coupés en dés
1 grosse courgette coupée en dés

GARNITURE
Basilic

ACCOMPAGNEMENT
Pain chaud croustillant ou pommes de terre en robe des champs, sauce tomate verte ***(page 100)*** **et salade verte composée** ***(page 114)***

Détaillez le thon en cubes, mettez-le dans de petits bols avec quelques feuilles de basilic, couvrez et placez au réfrigérateur.

Mettez l'huile d'olive à chauffer dans une casserole, et faites-y revenir l'oignon et l'ail pendant 5 minutes, jusqu'à ce qu'ils soient transparents.

Concassez les tomates et ajoutez-les dans la casserole, ainsi que le concentré de tomate dilué dans 2 cuillères à table d'eau. Laissez cuire 5 minutes, puis ajoutez le vin, l'eau, 2 ou 3 branches de basilic, et assaisonnez à votre convenance. Portez à ébullition, puis laissez frémir 10 à 15 minutes, jusqu'à ce que la sauce épaississe.

Mixez le tout au robot, rectifiez l'assaisonnement, puis versez dans le poêlon que vous placerez ensuite sur le réchaud allumé. Laissez chauffer. Plongez les courgettes et les poivrons dans l'eau bouillante, puis égouttez-les. Disposez-les ensuite dans de petits bols et décorez avec quelques feuilles de basilic.

Piquez les cubes de thon et les dés de légumes sur les fourchettes à fondue et faites-les cuire dans la sauce tomate. Servez accompagné de pain ou de pommes de terre, de la sauce tomate verte et de la salade verte composée.

FONDUE **DE FROMAGE AUX POISSONS ET FRUITS DE MER**

CETTE DÉLICIEUSE FONDUE CRÉMEUSE S'ACCOMMODE PARFAITEMENT DE TOUS LES FRUITS DE MER — EN PARTICULIER LES CRUSTACÉS — LE TOUT ARROSÉ D'UN CHARDONNAY BIEN FRAPPÉ, UN RÉGAL !

Dans une casserole, versez le vin blanc, l'ail et le piment, puis portez à ébullition et laissez frémir 3 minutes. Retirez l'ail et le piment, et versez le vin dans le poêlon. Ajoutez le sherry et le jus de citron vert. Placez le poêlon sur le réchaud allumé.

Mêlez le fromage à la fleur de maïs, et ajoutez-le morceau par morceau dans le poêlon, sans cesser de remuer jusqu'à ce que le fromage ait fondu.

Ajoutez les oignons frais émincés et le persil haché, et laissez cuire à feu doux. Piquez les morceaux de poisson sur les fourchettes à fondue et plongez-les dans le fromage pour les napper et les faire chauffer. Décorez avec des quartiers de citron, et servez accompagné de pain de seigle, de sauces et de salades.

3 à 4 *personnes*
Préparation : **12 à 15 minutes**
Cuisson : **5 à 7 minutes**

1 gousse d'ail pelée
1 piment, épépiné et émincé
250 ml / 8 oz de vin blanc sec
2 c. à table de sherry sec
1 c. à table de jus de citron vert
175 g / 6 oz d'emmenthal râpé
1 c. à table de fleur de maïs
4 petits oignons frais, épluchés et émincés
1 c. à table de persil frais haché
450 g / 1 lb de poissons et fruits de mer (cubes de homard cuit, grosses crevettes cuites décortiquées, moules d'Espagne cuites, morceaux de maquereau fumé, etc.)

GARNITURE
Quartiers de citron

ACCOMPAGNEMENT
Pain de seigle pour tremper dans le fromage, sauce tomate verte *(page 100)*, mayonnaise crémeuse aux herbes *(page 104)*, ratatouille froide *(page 109)* et salade verte composée *(page 114)*

FONDUE **AUX CREVETTES SAUCE SATAY**

CETTE RECETTE PEUT ÉGALEMENT TRÈS BIEN SE PRÉPARER AVEC DES CUBES DE POULET OU DE DINDE, OU UN MÉLANGE DE CREVETTES, POULET ET DINDE. N'HÉSITEZ PAS À PROPOSER LA SAUCE SATAY EN GRANDE QUANTITÉ, CAR ELLE EST TOUJOURS TRÈS APPRÉCIÉE.

Otez la veine dorsale des crevettes, puis incisez-les dans le sens de la longueur sur le bord interne, et aplatissez-les de façon à former un papillon. Réservez.

Faites chauffer le beurre d'arachides et ajoutez progressivement le lait de coco, afin d'obtenir une sauce crémeuse. Ajoutez l'ail, le jus de citron vert et les piments, et mélangez légèrement. Versez ce mélange sur les crevettes, couvrez et mettez au réfrigérateur pendant au moins 30 minutes, en remuant de temps en temps.

Chauffez l'huile dans le poêlon, puis placez-le sur le réchaud allumé.

Egouttez les crevettes et piquez-les sur les fourchettes à fondue, puis faites-les frire dans l'huile chaude 2 ou 3 minutes, jusqu'à ce qu'elles soient cuites. Servez accompagné de sauce Satay et de salades.

4 *personnes*
Préparation : **10 minutes, plus 30 minutes pour la marinade**
Cuisson : **2 à 3 minutes par crevette**

450 g / 1 lb de grosses crevettes crues
3 c. à table de beurre d'arachides, crémeux ou croquant
120 ml / 4 oz de lait de coco
2 ou 3 gousses d'ail écrasées
Un zeste râpé de citron vert
2 piments, épépinés et émincés
600 ml / 1 pt d'huile d'arachide pour la friture

ACCOMPAGNEMENT

Sauce Satay *(page 99)*, salade verte chinoise mixte *(page 108)*, salade de riz épicée *(page 109)*

VIANDES

FONDUE **DE BŒUF CAJUN**

DANS LA CUISINE CAJUN, COMME DANS LA CUISINE ANTILLAISE, ON FROTTE TRADITIONNELLEMENT LA NOURRITURE AVEC DES ÉPICES SÈCHES. VOUS POUVEZ FAIRE VARIER LE NOMBRE D'ÉPICES UTILISÉES SELON VOS GOÛTS.

Parez la viande et réservez. Mélangez les ingrédients de la marinade sèche, et frottez la viande avec ce mélange. Disposez la viande sur un plat, couvrez et mettez au réfrigérateur pendant au moins 30 minutes.

Dans le poêlon, faites chauffer l'huile à 190 °C / 375 °F, puis posez-le sur le réchaud allumé.

Détaillez la viande en lanières, piquez-la sur des brochettes ou des fourchettes à fondue, et faites-la frire dans l'huile chaude pendant 2 à 5 minutes, selon que vous l'aimez plus ou moins saignante.

Parsemez de thym, et servez accompagné de sauce à la crème sure, de salade, de patates douces et de gombos braisés.

4 à 6 *personnes*
Préparation : **5 minutes, plus 30 minutes pour la marinade**
Cuisson : **2 à 5 minutes par lanière**

550 g / 1 1/4 lb de bifteck dans l'aloyau
1/4 c. à thé de piment rouge déshydraté
1/4 à 1/2 c. à thé de piment de Cayenne
1/2 c. à thé de sucre
1/4 à 1/2 c. à thé de sel
1/4 c. à thé de poivre noir fraîchement moulu
2 c. à table de thym frais
2 ou 3 gousses d'ail, épluchées et écrasées
600 ml / 1 pt d'huile pour la friture

GARNITURE

Branches de thym frais

ACCOMPAGNEMENT

Sauce à la crème sure *(page 103)*, salade verte composée *(page 114)*, patates douces caramélisées et gombos braisés

FONDUE **BOURGUIGNONNE**

IL S'AGIT PEUT-ÊTRE LÀ DE LA RECETTE DE FONDUE LA PLUS RENOMMÉE, ORIGINAIRE DE FRANCE, MAIS CONNUE AUJOURD'HUI DANS LE MONDE ENTIER.

Coupez la viande en cubes, placez-les dans des petits plats individuels et décorez avec du persil et des quartiers de tomate.

Epépinez les tomates et coupez-les en petits dés, puis mettez-les dans un petit saladier. Mettez les ciboules (échalotes) et le persil dans de petits ramequins. Dans le poêlon, faites chauffer l'huile à 190 °C / 375 °F, après y avoir ajouté la gousse d'ail et la feuille de laurier, puis transférez prudemment le poêlon sur le réchaud allumé.

Piquez la viande sur les fourchettes à fondue et faites-la frire dans l'huile pendant 1 à 4 minutes, selon que vous la préférez plus ou moins saignante. Roulez-la ensuite dans la tomate, les ciboules (échalotes) ou le persil, ou les trois. Servez accompagné de sauce au raifort, d'olives, de chutney, de sauces variées et de pain.

6 à 8 *personnes*
Préparation : **10 minutes**
Cuisson : **1 à 4 minutes par cube**

900 g / 2 lb de bifteck dans le filet ou l'aloyau
4 tomates
4 ciboules (échalotes), épluchées et hachées
3 c. à table de persil frais haché
600 ml / 1 pt d'huile pour la friture
1 gousse d'ail, épluchée
1 feuille de laurier

GARNITURE

Persil frais et quartiers de tomate

ACCOMPAGNEMENT

Sauce au raifort, olives, chutney de fruits, sauce tomate verte *(page 100)* et pain croustillant

FONDUE **AUX BROCHETTES TURQUES**

LES ÉPICES ONT TENDANCE À S'ALTÉRER ASSEZ RAPIDEMENT, IL EST DONC CONSEILLÉ DE LES CONSERVER DANS UN ENDROIT FRAIS À L'ABRI DE LA LUMIÈRE. POUR OBTENIR DE MEILLEURS RÉSULTATS, UTILISEZ TOUJOURS LES ÉPICES LES PLUS FRAÎCHES POSSIBLE ET BROYEZ-LES AU PILON DANS UN MORTIER JUSTE AVANT DE LES UTILISER.

Mélangez le bifteck haché, les épices, l'oignon, l'ail, le zeste de citron, la coriandre, le sel et le poivre. Formez des boulettes de la taille d'une tomate cerise. Disposez-les sur un plat de service, décorez avec de la coriandre et parsemez de petits oignons frais.

Faites chauffer l'huile à 190 °C / 375 °F, puis posez le poêlon sur le réchaud allumé.

Piquez les boulettes de viande sur les fourchettes à fondue ou sur des brochettes, faites-les frire dans l'huile et servez accompagné d'un Raita à l'indienne et de salades.

4 à 6 *personnes*
Préparation : **10 minutes**
Cuisson : **2 à 5 minutes par boulette**

450 g / 1 lb de bifteck haché
1 1/2 c. à thé de coriandre moulue
1 1/2 c. à thé de cumin moulu
1 petit oignon, épluché et émincé
3 ou 4 gousses d'ail, pelées et écrasées
1 c. à table de zeste de citron râpé
2 c. à table de coriandre fraîche ciselée
Sel et poivre noir fraîchement moulu
600 ml / 1 pt d'huile pour la friture

GARNITURE

Coriandre et petits oignons frais émincés

ACCOMPAGNEMENT

Raita à l'indienne *(page 104)*, salade verte composée *(page 114)* et taboulé à la menthe et au citron *(page 118)*

FONDUE **AU BŒUF À LA SAUCE AIGRE-DOUCE**

UN DES PLAISIRS DE LA FONDUE, C'EST QU'ELLE PEUT ÊTRE SIMPLIFIÉE À SOUHAIT. LA RECETTE DÉCRITE ICI PEUT EN GRANDE PARTIE SE PRÉPARER À L'AVANCE : LA VIANDE PEUT ÊTRE MISE À MARINER DURANT LA NUIT QUI PRÉCÈDE, ELLE N'EN SERA QUE PLUS FONDANTE. TANDIS QUE LA PÂTE, LES SAUCES ET LA SALADE PEUVENT SE PRÉPARER AU DERNIER MOMENT. VOUS AVEZ ENSUITE TOUT LE LOISIR DE VOUS DÉTENDRE ET DE PROFITER DE VOTRE SOIRÉE ENTRE AMIS.

Détaillez la viande en cubes et mettez-les dans une assiette creuse. Mélangez l'ail, le sucre, la sauce de soja, le vinaigre et le vin, et versez ce mélange sur la viande. Mélangez et couvrez. Laissez mariner au réfrigérateur pendant au moins 30 minutes, en remuant de temps en temps pour que tous les cubes de viande soient bien nappés.

Battez les œufs avec l'eau jusqu'à l'obtention d'un mélange léger et mousseux, puis ajoutez la farine et la fleur de maïs tamisées (ne vous inquiétez pas s'il y a quelques grumeaux). Répartissez cette pâte dans de petits bols.

Egouttez la viande et placez-la également dans de petits bols. Décorez avec des brins de coriandre.

Faites chauffer l'huile dans le poêlon à 190 °C / 375 °F, puis posez prudemment le tout sur le réchaud allumé. Piquez un cube de viande sur la fourchette à fondue, trempez-le dans la pâte, puis faites-le frire dans l'huile jusqu'à ce que la pâte soit dorée et croustillante. Servez accompagné de sauce, de salade, de riz et de chutney de mangue.

6 *personnes*
Préparation : **10 minutes, plus 30 minutes pour la marinade**
Cuisson : **2 à 4 minutes par cube**

675 g / 1 1/2 lb de bifteck dans le filet ou l'aloyau
3 ou 4 gousses d'ail, pelées et écrasées
1 c. à table de cassonade
2 c. à table de sauce de soja
2 c. à table de vinaigre de vin rouge
250 ml / 8 oz de vin rouge

POUR LA PÂTE
2 œufs moyens battus
250 ml / 8 oz d'eau glacée
100 g / 4 oz de farine
50 g / 2 oz de fleur de maïs
600 ml / 1 pt d'huile pour la friture

GARNITURE
Coriandre fraîche ciselée

ACCOMPAGNEMENT
Sauce aigre-douce *(page 97)*, taboulé à la menthe et au citron *(page 118)*, riz et chutney de mangue

FONDUE **DE BŒUF AU VIN ROUGE**

LORSQUE VOUS CUISINEZ AU VIN, UTILISEZ TOUJOURS LE MEILLEUR VIN POSSIBLE, VOUS NE LE REGRETTEREZ PAS.

6 *personnes*
Préparation : **8 à 10 minutes, plus 30 minutes pour la marinade**
Cuisson : **1 à 2 minutes par cube**

900 g / 2 lb de bœuf dans le romsteck ou l'aloyau, paré et détaillé en cubes
3 à 5 gousses d'ail, pelées et finement émincées
4 ou 5 échalotes, pelées et hachées
1 c. à table de cassonade
2 c. à table de persil frais haché
350 ml / 12 oz de vin rouge (du Bordeaux, par exemple)
600 ml / 1 pt d'huile pour la friture

GARNITURE
Persil frais

ACCOMPAGNEMENT
Salade d'avocats et de mangue *(page 106)*, salade de cœurs d'artichauts *(page 115)* et pain croustillant

Placez le bifteck dans un plat creux. Parsemez-le d'ail, d'échalote, de sucre et de persil, puis versez dessus le vin rouge. Couvrez et mettez au réfrigérateur pendant au moins 30 minutes. Arrosez la viande avec la marinade de temps en temps.

Avant de la mettre à cuire, égouttez la viande, réservez la marinade et placez la viande dans de petits plats. Décorez avec du persil.

Passez la marinade, puis portez-la à ébullition forte pendant environ 10 minutes, jusqu'à ce qu'elle ait réduit de moitié et soit devenue sirupeuse. Répartissez-la dans des ramequins et utilisez-la pour y tremper les morceaux de viande cuits.

Faites chauffer l'huile dans le poêlon à 190 °C / 375 °F, puis posez prudemment le tout sur le réchaud allumé. Piquez la viande sur la fourchette à fondue, et faites plus ou moins frire selon vos goûts. Servez accompagné de salades et de pain.

Fondue aux boulettes de viande pimentées

FONDUE **AUX BOULETTES DE VIANDE PIMENTÉES**

LES VARIÉTÉS DE PIMENTS PEUVENT ÊTRE RADICALEMENT DIFFÉRENTES, TANT PAR LEUR GOÛT QUE PAR LEUR FORCE. ICI, J'AI SUGGÉRÉ L'UTILISATION DE PIMENTS ROUGES, CAR CE SONT CEUX QUE JE PRÉFÈRE. CELA NE VOUS EMPÊCHE PAS, SI VOUS LE SOUHAITEZ, DE LES REMPLACER PAR UNE AUTRE VARIÉTÉ.

4 *personnes*
Préparation : **10 minutes**
Cuisson : **3 à 5 minutes par boulette**

450 g / 1 lb de bifteck haché
1 petit oignon râpé
2 ou 3 gousses d'ail, pelées et écrasées
1 ou 2 piments rouges, épépinés et hachés
1 c. à table de concentré de tomate
Sel et poivre noir fraîchement moulu
1 c. à table d'origan
600 ml / 1 pt d'huile pour la friture

GARNITURE
Piments au vinaigre et marjolaine

ACCOMPAGNEMENT
Pains grecs chauds, émincé de laitue et sauce tomate verte *(page 100)*

Mélangez le bifteck haché, l'oignon, l'ail, les piments, le concentré de tomate, l'origan, le sel et le poivre. Mouillez vos mains et formez des boulettes de viande de la taille d'une tomate cerise. Disposez-les sur un plat de service et décorez avec des piments au vinaigre et des branches de marjolaine.

Faites chauffer l'huile dans le poêlon à 190 °C / 375 °F, puis posez le tout sur le réchaud allumé. Piquez les boulettes de viande sur les fourchettes à fondue ou sur des brochettes, et faites-les frire dans l'huile chaude pendant 3 à 5 minutes, jusqu'à ce qu'elles soient cuites.

Faites une ouverture dans le pain grec et remplissez-le d'émincé de laitue, ajoutez quelques boulettes de viande cuites et arrosez de sauce tomate verte.

FONDUE **D'AGNEAU AUX ABRICOTS ET À LA MENTHE**

CETTE FONDUE EST ÉGALEMENT DÉLICIEUSE SERVIE DANS DES TACOS CHAUDS ET CROUSTILLANTS. REMPLISSEZ LES TACOS D'ÉMINCÉ DE LAITUE ET AJOUTEZ PAR DESSUS LES BOULETTES DE VIANDE ET LE CONCOMBRE.

4 à 6 *personnes*
Préparation : **10 minutes**
Cuisson : **3 à 5 minutes par boulette**

450 g / 1 lb d'agneau haché
75 g / 3 oz d'abricots secs finement émincés
2 ou 3 gousses d'ail, pelées et écrasées
1 petit oignon rouge finement émincé
2 c. à table de menthe fraîche ciselée
Sel et poivre noir fraîchement moulu
600 ml / 1 pt d'huile pour la friture

GARNITURE
Menthe et tranches d'abricots frais

ACCOMPAGNEMENT
Pains grecs chauds, émincé de laitue, concombre râpé et mayonnaise verte *(page 96)*

Dans un saladier, mélangez intimement l'agneau haché, les abricots, l'ail, l'oignon, la menthe, le sel et le poivre. Formez des boulettes de viande de la taille d'une tomate cerise. Disposez-les sur un plat de service et décorez avec de la menthe et des tranches d'abricot.

Faites chauffer l'huile dans le poêlon, puis posez le tout sur le réchaud allumé. Piquez les boulettes de viande sur les fourchettes à fondue ou sur des brochettes, et faites-les frire dans l'huile chaude pendant 3 à 5 minutes, jusqu'à ce qu'elles soient cuites.

Faites une ouverture dans le pain grec et remplissez-le d'émincé de laitue, de concombre, de boulettes de viande et d'une touche de mayonnaise.

FONDUE **DE BŒUF AU RAIFORT**

SI VOUS AVEZ LA CHANCE DE TROUVER DU RAIFORT FRAIS, UTILISEZ-LE DANS LA PRÉPARATION DE CETTE RECETTE, LA SAVEUR N'EN SERA QUE PLUS SOUTENUE. AUTREMENT, VOUS POUVEZ UTILISER DU RAIFORT RÂPÉ OU EN PURÉE.

4 *personnes*
Préparation : **5 à 7 minutes, plus 30 minutes pour la marinade**
Cuisson : **2 à 4 minutes par lanière**

550 g / 1 1/4 lb de bœuf dans le romsteck ou l'aloyau
1 ou 2 c. à table de raifort râpé ou en purée
4 c. à table d'huile d'olive
2 c. à table de vinaigre de vin rouge
Sel et poivre noir fraîchement moulu
600 ml / 1 pt d'huile pour la friture

GARNITURE
Persil plat

ACCOMPAGNEMENT
Sauce au raifort, choucroute en salade *(page 107)*, salade de pommes de terre et pommes fruits à la crème *(page 117)* et pain croustillant

Parez la viande et détaillez-la en lanières. Placez ces lanières dans un plat creux. Mélangez le raifort, l'huile, le vinaigre, le sel et le poivre, puis versez cette préparation sur la viande. Mélangez, couvrez et laissez mariner au réfrigérateur pendant au moins 30 minutes, en remuant de temps en temps.

Faites chauffer l'huile dans le poêlon à 190 °C / 375 °F, puis posez prudemment le tout sur le réchaud allumé. Egouttez le bœuf et piquez-le sur les fourchettes à fondue. Faites frire dans l'huile chaude pendant 2 à 4 minutes, selon le niveau de cuisson désiré. Décorez avec le persil plat et servez accompagné de la sauce, des salades et du pain.

FONDUE **D'AGNEAU À LA SICILIENNE**

PLUS LE TEMPS DE MARINADE EST LONG, PLUS LA SAVEUR DÉGAGÉE EST FORTE. MAIS LORSQUE L'ON FAIT MARINER DE LA VIANDE ASSEZ LONGTEMPS, OUTRE LE GOÛT QUI S'AFFIRME, LA VIANDE DEVIENT ÉGALEMENT PLUS FONDANTE.

Détaillez l'agneau en lanières et mettez-les dans un plat creux. Parsemez d'ail, d'oignon, de thym, d'épices et de sucre.

Diluez le concentré de tomate dans le marsala et le jus de citron, et versez cette préparation sur la viande. Mélangez, couvrez et laissez mariner au réfrigérateur pendant au moins 30 minutes (plus longtemps si vous pouvez).

Egouttez l'agneau et réservez la marinade. Disposez l'agneau dans de petits plats et parsemez de thym.

Portez brièvement la marinade à ébullition jusqu'à ce qu'elle réduise de moitié et devienne sirupeuse. Versez la sauce obtenue dans de petits ramequins, afin d'y tremper les morceaux de viande.

Faites chauffer l'huile dans le poêlon, puis posez le tout sur le réchaud allumé. Piquez la viande sur les fourchettes à fondue et faites-la frire dans l'huile chaude pendant 2 à 3 minutes, selon le niveau de cuisson désiré. Roulez les morceaux de viande dans les amandes grillées et servez accompagné de mayonnaise verte, de salades et de pain.

4 à 6 *personnes*
Préparation : **8 à 10 minutes, plus 30 minutes pour la marinade**
Cuisson : **2 à 3 minutes par morceau**

675 g / $1^1/_2$ lb d'agneau maigre
2 ou 3 gousses d'ail, pelées et écrasées
1 gros oignon émincé
2 c. à table de thym frais
1 c. à thé de graines de cumin grillées
1 c. à thé de cardamome moulue
2 c. à table de cassonade
1 c. à table de concentré de tomate
250 ml / 8 oz de marsala
3 c. à table de jus de citron
600 ml / 1 pt d'huile pour la friture

GARNITURE
Branches de thym frais

ACCOMPAGNEMENT
Amandes effilées broyées et grillées, mayonnaise verte *(page 96)*, ratatouille froide *(page 109)*, salade épicée aux poivrons et aux champignons *(page 116)* et pain chaud italien

FONDUE **D'AGNEAU PARFUMÉ AU ROMARIN**

LE MARIAGE AGNEAU-ROMARIN-AIL EST D'UNE HARMONIE PARFAITE, LE JUS DE POMME VENANT RELEVER LE TOUT.

6 *personnes*
Préparation : **10 minutes, plus 30 minutes pour la marinade**
Cuisson : **2 à 3 minutes par morceau**

675 g / $1^{1}/2$ lb d'agneau maigre, détaillé en fines lamelles
3 ou 4 gousses d'ail, pelées et écrasées
8 petits oignons frais, épluchés et émincés
2 c. à table de romarin frais
2 c. à table de sauce de soja légère
250 ml / 8 oz de jus de pomme
600 ml / 1 pt d'huile pour la friture

GARNITURE
Romarin frais et quartiers de pomme

ACCOMPAGNEMENT
Sauce à la crème sure ***(page 103)*****, salade de riz épicée** ***(page 109)*****, salade verte composée** ***(page 114)*** **et pain croustillant**

Mettez les lanières d'agneau dans un plat creux et parsemez-les d'ail, d'oignons frais et de romarin.

Mélangez la sauce de soja au jus de pomme, et versez le tout sur la viande. Mélangez, couvrez et laissez mariner au réfrigérateur pendant au moins 30 minutes, en remuant de temps en temps.

Faites chauffer l'huile dans le poêlon, puis posez prudemment le tout sur le réchaud allumé.

Egouttez l'agneau et faites bouillir la marinade à gros bouillon jusqu'à ce qu'elle réduise de moitié. Versez la sauce obtenue dans de petits ramequins, afin d'y tremper les morceaux de viande.

Piquez la viande sur les fourchettes à fondue et faites-la frire dans l'huile chaude pendant 2 à 3 minutes. Décorez avec du romarin et des quartiers de pomme, et servez accompagné de sauce à la crème sure, de salades et de pain croustillant.

Fondue de porc mariné à l'orange

FONDUE **DE PORC MARINÉ À L'ORANGE**

LE MARIAGE VIANDE-FRUIT EST L'UN DE MES FAVORIS, COMME DANS CETTE DÉLICIEUSE RECETTE.

4 *personnes*
Préparation : **10 minutes, plus 30 minutes pour la marinade**
Cuisson : **3 à 4 minutes par morceau**

450 g / 1 lb de filet de porc détaillé en cubes
1 oignon moyen émincé
1 ou 2 gousses d'ail, pelées et écrasées
2 c. à table de zeste d'orange râpé
120 ml / 4 oz de jus d'orange
2 c. à thé de cassonade
1 c. à table de sauce de soja légère
3 c. à table d'huile de noix
2 c. à table de sauge fraîche ciselée
600 ml / 1 pt d'huile d'arachide pour la friture

GARNITURE
Feuilles de sauge fraîche et quartiers d'orange

ACCOMPAGNEMENT
Pommes de terre nouvelles, trempette à l'orange ***(page 102)*** **et coleslaw au zeste d'orange** ***(page 114)***

Mettez les cubes de porc dans un plat creux et parsemez d'ail et d'oignon.

Mélangez le zeste et le jus d'orange, la cassonade, la sauce de soja, l'huile de noix et la sauge, puis versez cette préparation sur la viande. Couvrez et laissez mariner au réfrigérateur pendant au moins 30 minutes.

Egouttez le porc, réservez la marinade, et répartissez la viande dans des plats individuels. Décorez ensuite avec les feuilles de sauge et les quartiers d'orange.

Portez brièvement la marinade à ébullition jusqu'à ce qu'elle réduise de moitié. Versez la sauce obtenue dans de petits ramequins, afin d'y tremper les morceaux de viande. Faites chauffer l'huile dans le poêlon, puis posez prudemment le tout sur le réchaud allumé. Piquez la viande sur les fourchettes à fondue et faites-la frire dans l'huile chaude. Servez accompagné de pommes de terre, de trempette à l'orange et de coleslaw.

FONDUE **DE PORC FRUITÉE À LA MODE ASIATIQUE**

VOUS TROUVEZ DANS LE COMMERCE DIFFÉRENTS TYPES DE CHUTNEY DE MANGUE ; CERTAINS SONT DOUX, D'AUTRES PLUS RELEVÉS. CHOISISSEZ SELON VOS GOÛTS, MAIS N'OUBLIEZ PAS DE RÉDUIRE LES GROS MORCEAUX DE CHUTNEY EN PURÉE AVANT DE L'UTILISER.

Mettez le porc haché dans un saladier et ajoutez le chutney de mangue, les piments, l'ail, les ciboules (échalotes) et la coriandre. Mélangez le tout et formez de petites boulettes de la taille d'une tomate cerise. Disposez-les sur un plat de service et décorez avec les fruits et la coriandre ciselée.

Faites chauffer l'huile dans le poêlon, puis posez prudemment le tout sur le réchaud allumé. Piquez les boulettes de viande sur les fourchettes à fondue ou sur des brochettes, et faites-les frire dans l'huile chaude pendant 3 à 5 minutes, jusqu'à ce qu'elles soient cuites.

Servez accompagné de riz glutineux (grains courts), de sauce aigre-douce, d'ananas, de poivrons et de chutney de mangue.

4 *personnes*
Préparation : **10 minutes**
Cuisson : **3 à 5 minutes par boulette**

675 g / 1 1/2 lb de porc haché
3 c. à table de chutney de mangue
2 piments, épépinés et finement émincés
2 ou 3 gousses d'ail, pelées et écrasées
4 ciboules (échalotes), pelées et hachées
2 c. à table de coriandre fraîche ciselée
600 ml / 1 pt d'huile d'arachide pour la friture

GARNITURE

Tranches de mangue et d'ananas frais, coriandre fraîche ciselée

ACCOMPAGNEMENT

Riz glutineux (grains courts), sauce aigre-douce *(page 97)*, cubes d'ananas frais, dés de poivrons rouges et verts et chutney de mangue

FONDUE **DE PORC AU BEURRE D'ARACHIDES**

VOUS POUVEZ FAIRE MARINER LE PORC DANS DU BEURRE D'ARACHIDES CRÉMEUX OU CROQUANT. QUOI QU'IL EN SOIT, IL EST PLUS FACILE DE MÉLANGER LE BEURRE D'ARACHIDES AUX AUTRES INGRÉDIENTS SI VOUS LE FAITES UN PEU CHAUFFER.

Détaillez les filets de porc en lanières et mettez-les dans un plat creux. Mélangez le beurre d'arachides, le piment, l'ail, le sucre, la sauce de soja, le jus de citron et l'huile d'arachide. Versez cette préparation sur la viande, mélangez, couvrez et laissez mariner au réfrigérateur pendant au moins 30 minutes.

Faites chauffer l'huile dans le poêlon, puis posez prudemment le tout sur le réchaud allumé.

Egouttez le porc, piquez-le sur des brochettes et faites-le frire dans l'huile chaude pendant 3 à 4 minutes, jusqu'à ce qu'il soit cuit. Décorez avec des quartiers de citron ou de citron vert et de la coriandre ciselée. Servez accompagné de sauce Satay et de salade.

4 *personnes*
Préparation : **8 à 10 minutes, plus 30 minutes pour la marinade**
Cuisson : **3 à 4 minutes par lanière**

450 g / 1 lb de filet de porc
4 c. à table de beurre d'arachides
1 piment rouge, épépiné et haché
2 ou 3 gousses d'ail, pelées et écrasées
2 c. à thé de cassonade
1 c. à table de sauce de soja
2 c. à table de jus de citron
2 c. à table d'huile d'arachide
600 ml / 1 pt d'huile pour la friture

GARNITURE

Quartiers de citron vert ou de citron, coriandre ciselée

ACCOMPAGNEMENT

Sauce Satay ***(page 99)*** **et salade verte chinoise mixte** ***(page 108)***

FONDUE **DE PORC À LA POMME**

LE CALVADOS, ALCOOL FRANÇAIS DE NORMANDIE, A UNE SAVEUR PARTICULIÈRE. UTILISEZ-LE DE PRÉFÉRENCE AUX AUTRES ALCOOLS POUR CETTE RECETTE. SI VOUS N'AVEZ PAS DE CALVADOS, VOUS POUVEZ LE REMPLACER PAR UN AUTRE BRANDY DE BONNE QUALITÉ.

Détaillez le porc en cubes et mettez-les dans un plat creux. Parsemez d'oignons frais, de poivre et de sauge. Mélangez le calvados au jus de pomme, et versez le tout sur la viande. Mélangez légèrement, couvrez et laissez mariner au réfrigérateur pendant au moins 30 minutes, en remuant de temps en temps.

Faites chauffer l'huile dans le poêlon, puis posez prudemment le tout sur le réchaud allumé. Egouttez le porc et piquez-le sur des fourchettes à fondue.

Faites-le frire dans l'huile chaude pendant 2 à 5 minutes, jusqu'à ce qu'il soit cuit. Décorez avec des quartiers de pomme et servez accompagné de pâtes, de sauge ciselée mélangée à du poivre noir, de mayonnaise, de salade et de pain.

4 à 6 *personnes*
Préparation : **5 à 7 minutes, plus 30 minutes pour la marinade**
Cuisson : **2 à 5 minutes par cube**

550 g / $1^1/_4$ lb de filet de porc
6 petits oignons frais, épluchés et émincés
Poivre noir fraîchement moulu
2 c. à table de sauge fraîche ciselée
3 c. à table de calvados
120 ml / 4 oz de jus de pomme
600 ml / 1 pt d'huile pour la friture

GARNITURE
Quartiers de pomme

ACCOMPAGNEMENT
Tagliatelles fraîches avec une noix de beurre, sauge ciselée mélangée à du poivre noir, mayonnaise crémeuse aux herbes *(page 104)*, salade verte composée *(page 114)* et pain croustillant

VOLAILLES

MARMITE **MONGOLE AU POULET**

LES MARMITES SONT ÉGALEMENT APPELÉES FONDUES CHINOISES. LES MARMITES ELLES-MÊMES SONT AUSSI APPELÉES «VASES À CHRYSANTHÈME», À CAUSE DU MOTIF DÉCORATIF À LA BASE ET DE LA FAÇON DONT LES FLAMMES S'ÉLÈVENT, TELS DE MAGNIFIQUES CHRYSANTHÈMES.

Détaillez le poulet en lanières et mettez-les dans des plats creux. Couvrez et réservez au frais.

Versez le bouillon dans la marmite mongole ou le poêlon à fondue. Ajoutez les piments, le gingembre, l'ail, les ciboules (échalotes), l'anis étoilé et le miel. Portez à ébullition et laissez frémir 10 minutes. Placez sur le réchaud allumé.

Pendant ce temps, coupez la courgette en fines lanières. Epépinez les poivrons et détaillez-les également en fines lanières. Plongez les courgettes et les poivrons 5 minutes dans l'eau bouillante, égouttez, disposez sur des plats de service et décorez avec la coriandre.

Mélangez les ingrédients de la trempette et répartissez la préparation obtenue dans de petits ramequins.

Piquez les lanières de poulet et de légume sur les fourchettes à fondue et faites cuire dans le bouillon chaud 2 à 4 minutes. Une fois que tout le poulet et les légumes ont été cuits, plongez les germes de soja dans le bouillon. Laissez chauffer 2 minutes, puis servez ce bouillon comme une soupe. Décorez de piment rouge émincé.

6 à 8 *personnes*
Préparation : **15 minutes**
Cuisson : **2 à 4 minutes par lanière**

900 g / 2 lb d'escalopes de poulet
600 ml / 1 pt de bouillon de poulet
2 piments, épépinés et écrasés
1 c. à table de racine de gingembre râpée
3 ou 4 gousses d'ail, pelées et écrasées
4 ciboules (échalotes), épluchées et émincées
4 fleurs d'anis étoilé
2 ou 3 c. à thé de miel clair
2 courgettes moyennes
1 poivron rouge
1 poivron jaune
50 g / 2 oz de germes de soja

POUR LA TREMPETTE
3 c. à table de sauce de soja légère
1 c. à thé de miel clair
1/2 c. à thé de piment déshydraté en poudre
2 c. à thé de sherry

GARNITURE
Coriandre ciselée et piments rouges émincés

FONDUE **AUX BOULETTES DE POULET PIMENTÉES**

POUR CETTE RECETTE, VOUS DEVEZ UTILISER DES GRAINES DE CUMIN GRILLÉES. POUR CELA, VOUS AVEZ TROIS FAÇONS DE PROCÉDER : METTEZ LES GRAINES DE CUMIN SUR UNE FEUILLE DE CUISSON ET LAISSEZ GRILLER ENVIRON 10 MINUTES À FOUR CHAUD, EN REMUANT DE TEMPS EN TEMPS ; VOUS POUVEZ ÉGALEMENT RECOUVRIR UN GRIL D'UNE FEUILLE D'ALUMINIUM ET FAIRE GRILLER LES GRAINES À FEU MOYEN PENDANT 2 OU 3 MINUTES ; OU ENFIN METTRE LES GRAINES DANS UNE POÊLE ET LES FAIRE CHAUFFER À FEU DOUX PENDANT 2 OU 3 MINUTES, TOUT EN REMUANT. NE LES LAISSEZ PAS BRÛLER, CAR CELA GÂCHERAIT LEUR SAVEUR.

4 *personnes*
Préparation : **15 à 20 minutes, avec le grillage des graines**
Cuisson : **3 à 4 minutes par morceau**

450 g / 1 lb de poulet haché
2 ou 3 piments, épépinés et hachés
1 c. à thé de graines de cumin grillées
1 petit oignon, épluché et émincé
2 ou 3 gousses d'ail, pelées et écrasées
Sel et poivre noir fraîchement moulu
2 c. à table de thym frais
600 ml / 1 pt d'huile pour la friture

GARNITURE
Branches de thym

ACCOMPAGNEMENT
Mayonnaise verte *(page 96)*, Raita à l'indienne *(page 104)*, salade d'artichauts et de haricots vinaigrette *(page 111)* et pain croustillant

Mélangez le poulet haché avec les piments, les graines de cumin, l'oignon, l'ail, le sel, le poivre et le thym. Formez de petites boulettes. Mettez-les dans de petits bols et parsemez de thym. Couvrez et réfrigérez.

Faites chauffer l'huile dans le poêlon à 190 °C / 350 °F, puis posez prudemment le tout sur le réchaud allumé.

Piquez les boulettes de viande sur les fourchettes à fondue et faites-les frire dans l'huile chaude pendant 3 ou 4 minutes.

Servez accompagné de mayonnaise verte, de Raita à l'indienne, de salade d'artichauts et de haricots vinaigrette et de pain.

FONDUE **AU POULET FUMÉ**

IL EXISTE PLUSIEURS VARIÉTÉS DE PIMENTS DÉSHYDRATÉS DISPONIBLES DANS LE COMMERCE. ILS PEUVENT PRÉSENTER UN ARÔME FUMÉ OU FRUITÉ. POUR CETTE RECETTE, JE VOUS RECOMMANDE D'UTILISER DES PIMENTS À L'ARÔME FUMÉ.

4 à 6 *personnes*
Préparation : **18 minutes, plus 30 minutes pour la marinade**
Cuisson : **2 à 4 minutes par cube**

1 ou 2 piments déshydratés
550 g / 1 1/4 lb d'escalopes de poulet
4 ou 5 clous de girofle
1 c. à thé de cannelle moulue
2 c. à table de vinaigre de vin blanc
1 c. à table de concentré de tomate
1 c. à table de sauce Worcestershire
600 ml / 1 pt d'huile pour la friture

GARNITURE
Piments macérés dans du vinaigre et de la coriandre

ACCOMPAGNEMENT
Sauce tomate verte *(page 100)*, sauce à la crème sure *(page 103)*, salade de riz épicée *(page 109)* et pain croustillant

Dans une poêle, faites griller les piments à sec pendant 2 ou 3 minutes, retirez-les du feu, puis mettez-les dans un petit saladier. Recouvrez avec 250 ml / 8 oz d'eau très chaude (mais non bouillante) et laissez reposer au moins 10 minutes. Retirez les piments et hachez-les finement. Réservez l'eau infusée.

Détaillez le poulet en cubes et parsemez-les de piment, de clous de girofle et de cannelle. Délayez le concentré de tomate dans le vinaigre mélangé à la sauce Worcestershire, versez le tout dans l'eau où les piments ont trempé (précédemment réservée), puis arrosez le poulet avec cette préparation.

Couvrez et laissez mariner au réfrigérateur pendant au moins 30 minutes, en remuant de temps en temps. Faites chauffer l'huile dans le poêlon à 190 °C / 350 °F, puis posez prudemment le tout sur le réchaud allumé.

Egouttez le poulet, disposez-le dans de petits bols et décorez avec des piments macérés dans du vinaigre et de la coriandre. Piquez le poulet sur les fourchettes à fondue, et faites frire dans l'huile chaude pendant 2 à 4 minutes. Servez accompagné de sauce tomate verte, de sauce à la crème sure, de salade de riz épicée et de pain.

FONDUE **AU POULET DE LOUISIANE**

CES SUCCULENTES LANIÈRES DE POULET TENDRE SONT D'ABORD TREMPÉES DANS UNE PÂTE À BEIGNET LÉGÈRE PUIS FRITES RAPIDEMENT.

4 à 6 *personnes*
Préparation : **10 minutes, plus 30 minutes pour la marinade**
Cuisson : **3 à 4 minutes par lanière**

550 g / 1 1/4 lb d'escalopes de poulet, détaillées en lanières
4 c. à table de jus d'orange
1 piment rouge, épépiné et émincé
2 ou 3 gousses d'ail, épluchées et écrasées
2 c. à table de persil frais haché

POUR LA PÂTE
100 g / 4 oz de farine
2 c. à table de farine de maïs
1/2 c. à thé de poivre noir
1 c. à thé de paprika fort
1 œuf moyen, battu
175 ml / 6 oz de lait
600 ml / 1 pt d'huile pour la friture

GARNITURE
Persil et quartiers de tomate

ACCOMPAGNEMENT
Sauce au maïs doux et pain à la farine de maïs

Mettez le poulet dans un plat creux. Mélangez le jus d'orange, le piment, l'ail et le persil, et versez la préparation obtenue sur le poulet. Mélangez, couvrez et laissez mariner au réfrigérateur pendant au moins 30 minutes.

Pendant ce temps, confectionnez la pâte : tamisez les farines au-dessus d'un saladier, ajoutez le poivre noir et le paprika et mélangez. Creusez un puits au centre et versez-y l'œuf battu. Ajoutez progressivement le lait en remuant et en raclant les parois du saladier pour bien incorporer toute la farine et obtenir une pâte homogène. Laissez ensuite reposer cette pâte 30 minutes, et battez-la bien juste avant de l'utiliser.

Faites chauffer l'huile dans le poêlon à 190 °C / 350 °F, puis posez prudemment le tout sur le réchaud allumé. Mettez le poulet dans des bols de service et décorez avec des brins de persil et des quartiers de tomate.

Piquez le poulet sur des fourchettes à fondue, trempez-le dans la pâte puis faites-le frire dans l'huile chaude pendant 3 à 4 minutes. Servez accompagné de sauce au maïs doux et de pain à la farine de maïs.

Fondue de poulet à la mode antillaise

FONDUE **DE POULET À LA MODE ANTILLAISE**

GRÂCE À LA DISPONIBILITÉ D'INGRÉDIENTS DE PLUS EN PLUS VARIÉS DANS LE COMMERCE, IL EST DÉSORMAIS FACILE DE SE RÉGALER DE PLATS ORIGINAIRES DES QUATRE COINS DU MONDE, COMME AVEC CETTE RECETTE QUI NOUS VIENT DU SOLEIL DES ANTILLES.

6 *personnes*
Préparation : **5 à 7 minutes, plus 30 minutes pour la marinade**
Cuisson : **2 à 4 minutes par lanière**

900 g / 2 lb d'escalopes de poulet, détaillées en cubes
2 c. à table de cassonade
1 à 3 piments, épépinés et finement émincés
3 ou 4 gousses d'ail, épluchées et écrasées
2 c. à table de coriandre fraîche ciselée
250 ml / 8 oz de jus de mangue
600 ml / 1 pt d'huile pour la friture

GARNITURE
Tranches de mangue et piments macérés dans du vinaigre

ACCOMPAGNEMENT
Sauce tomate verte *(page 100)*, salade de cœurs d'artichauts *(page 115)* et riz ou pain à la farine de maïs

Mettez le poulet dans un plat creux. Parsemez de sucre, de piments, d'ail et de coriandre, et arrosez le tout de jus de mangue. Mélangez légèrement, couvrez et laissez mariner au réfrigérateur pendant au moins 30 minutes, en remuant de temps en temps.

Faites chauffer l'huile dans le poêlon à 190 °C / 350 °F, puis posez prudemment le tout sur le réchaud allumé.

Egouttez le poulet, portez la marinade à ébullition forte pendant environ 10 minutes, jusqu'à ce qu'elle ait réduit de moitié. Répartissez-la ensuite dans des ramequins et utilisez-la pour y tremper les morceaux de viande cuits.

Mettez le poulet dans des bols de service et décorez avec des tranches de mangue et des piments au vinaigre.

Piquez le poulet sur des fourchettes à fondue et faites-le frire dans l'huile chaude pendant 2 à 4 minutes, selon la grosseur des morceaux. Servez accompagné de sauce tomate verte, de salade de cœurs d'artichauts et de riz ou de pain à la farine de maïs.

FONDUE **DE DINDE À LA MEXICAINE**

CETTE FONDUE S'ACCOMPAGNE DES TRÈS APPRÉCIÉS FAJITAS MEXICAINS. ASSUREZ-VOUS QUE LA DINDE EST ASSEZ CUITE.

4 *personnes*
Préparation : **8 à 10 minutes, plus 30 minutes pour la marinade**
Cuisson : **2 à 4 minutes par lanière**

550 g / $1\frac{1}{4}$ lb d'escalopes de dinde, détaillées en lanières
2 ou 3 piments, épépinés et hachés ou bien $\frac{1}{2}$ ou 1 c. à thé de piment déshydraté en poudre
6 petits oignons frais émincés
3 ou 4 gousses d'ail écrasées
2 c. à table de coriandre fraîche ciselée
2 c. à thé de miel clair tiède
3 c. à table de jus de citron vert
6 c. à table d'huile d'olive
600 ml / 1 pt d'huile pour la friture

GARNITURE
Quartiers de citron vert

ACCOMPAGNEMENT
Guacamole, sauce Salsa *(page 99)*, sauce à la crème sure *(page 103)*, petits oignons frais émincés et tortillas chauds

Mettez les lanières de dinde dans un plat creux. Parsemez de piments, d'oignons frais, d'ail et de coriandre. Mélangez le miel avec le jus de citron vert et l'huile d'olive, et versez la préparation obtenue sur la dinde. Mélangez, couvrez et laissez mariner au réfrigérateur pendant au moins 30 minutes.

Faites chauffer l'huile dans le poêlon à 190 °C / 375 °F, puis posez prudemment le tout sur le réchaud allumé.

Egouttez la dinde, disposez-la dans un plat de service et décorez avec le citron vert. Piquez la viande sur des fourchettes à fondue et faites-la frire dans l'huile chaude pendant 2 à 4 minutes.

Servez accompagné de guacamole, de sauce Salsa, de sauce à la crème sure, de petits oignons frais émincés et de tortillas.

Fondue de dinde à la mexicaine

FONDUE **DU PACIFIQUE**

DANS CETTE RECETTE, J'AI MARIÉ DES SAVEURS ORIENTALES À UNE MÉTHODE DE CUISINER OCCIDENTALE. LE RÉSULTAT OBTENU EST DÉLICIEUX !

6 à 8 *personnes*
Préparation : **10 minutes, plus 30 minutes pour la marinade**
Cuisson : **2 à 4 minutes par cube**

900 g / 2 lb d'escalopes de poulet, détaillées en cubes
1 c. à table de zeste de citron vert râpé
2 piments, épépinés et émincés
3 gousses d'ail, épluchées et écrasées
2 c. à table de racine de gingembre râpée
6 petits oignons frais émincés
2 c. à table de coriandre fraîche ciselée
4 c. à table de jus de citron vert
3 c. à table d'huile d'olive
1 c. à table d'huile de sésame
600 ml / 1 pt d'huile pour la friture

GARNITURE
Petits oignons frais et coriandre

ACCOMPAGNEMENT
Sauce aigre-douce *(page 97)*, salade épicée aux poivrons et aux champignons *(page 116)* et salade de pommes de terre et pommes fruits à la crème *(page 117)*

Mettez le poulet dans un plat creux. Parsemez de zeste de citron vert, de piments, d'ail, de gingembre, de petits oignons frais et de coriandre. Mélangez le jus de citron vert aux huiles et arrosez la viande de cette préparation. Mélangez, couvrez et laissez mariner au réfrigérateur pendant au moins 30 minutes.

Egouttez le poulet, mettez-le dans des bols de service et décorez avec de petits oignons frais et de la coriandre.

Faites chauffer l'huile dans le poêlon à 190 °C / 350 °F, puis posez prudemment le tout sur le réchaud allumé. Piquez la viande sur des fourchettes à fondue et faites-la frire dans l'huile chaude pendant 2 à 4 minutes.

Servez accompagné de sauce aigre-douce, de salade épicée aux poivrons et aux champignons, et de salade de pommes de terre et pommes fruits à la crème.

FONDUE **DE DINDE TRÈS ÉPICÉE**

N'HÉSITEZ PAS À PIMENTER ET À CORSER CE PLAT EN AUGMENTANT TOUT SIMPLEMENT LE NOMBRE OU LES VARIÉTÉS DE PIMENTS UTILISÉS. ET, POUR LES PLUS COURAGEUX, CONSERVEZ LES PIMENTS ENTIERS.

Détaillez les escalopes de dinde en lanières et mettez-les dans un plat creux. Mélangez les piments, l'ail, le tabasco, la coriandre, le miel, le jus de citron vert et les 6 cuillères à table d'huile, puis versez cette préparation sur la dinde. Couvrez et laissez mariner au réfrigérateur pendant au moins 30 minutes. Egouttez les morceaux de dinde et mettez-les dans de petits bols, puis parsemez-les de coriandre ciselée, de piments macérés dans du vinaigre et de quartiers de tomate.

Faites chauffer l'huile pour la friture à 190 °C / 375 °F dans le poêlon, et placez-le ensuite sur le réchaud allumé. Piquez les lanières de dinde sur les fourchettes ou les brochettes à fondue, et faites-les frire dans l'huile chaude pendant 2 à 4 minutes.

Servez avec des tortillas, de la laitue, des petits oignons frais, de la sauce Salsa et de la sauce à la crème.

6 à 8 *personnes*
Préparation : **8 à 10 minutes, plus 30 minutes pour la marinade**
Cuisson : **2 à 4 minutes par lanière**

900 g / 2 lb d'escalopes de dinde
2 ou 3 piments, épépinés et hachés
3 ou 4 gousses d'ail, épluchées et écrasées
2 ou 3 c. à thé de sauce tabasco
2 c. à table de coriandre fraîche ciselée
2 c. à thé de miel clair tiède
3 c. à table de jus de citron vert
6 c. à table d'huile
600 ml / 1 pt d'huile pour la friture

GARNITURE
Coriandre, piments macérés dans du vinaigre, quartiers de tomate

ACCOMPAGNEMENT
Tortillas chauds, émincé de laitue, petits oignons frais émincés, sauce Salsa *(page 99)* et sauce à la crème sure *(page 103)*

FONDUE **DE DINDE AU SATAY**

CETTE RECETTE DE FONDUE EST PARFAITEMENT ADAPTÉE AUX PERSONNES QUI SURVEILLENT LEUR POIDS. EN EFFET, LA DINDE EST TRÈS PAUVRE EN MATIÈRES GRASSES — PLUS PAUVRE MÊME QUE LE POULET. DE PLUS, LA DINDE EST ICI MARINÉE DANS DU YAOURT À 0 % DE MATIÈRES GRASSES, FRITE RAPIDEMENT PUIS ÉGOUTTÉE SUR DU PAPIER ABSORBANT.

Détaillez les escalopes de dinde en lanières et mettez-les dans un plat creux. Mélangez le yaourt, le beurre d'arachides, le zeste et le jus d'orange, le piment et le gingembre râpé. Versez cette préparation sur la dinde et mélangez. Couvrez et laissez mariner au réfrigérateur pendant au moins 30 minutes, en remuant de temps en temps.

Faites chauffer l'huile dans le poêlon à 190 °C / 375 °F, puis posez prudemment le tout sur le réchaud allumé.

Piquez la viande sur des fourchettes à fondue et faites-la frire dans l'huile chaude pendant 2 à 4 minutes. Egouttez-la ensuite sur du papier absorbant si vous le souhaitez. Décorez avec des quartiers d'orange, du persil plat et le piment, et servez accompagné de sauce Satay, de salade de riz épicée et de pain.

4 à 6 *personnes*
Préparation : **10 minutes, plus 30 minutes pour la marinade**
Cuisson : **2 à 4 minutes par lanière**

550 g / 1 1/4 lb d'escalopes de dinde
6 c. à table de yaourt nature à 0 %
3 c. à table de beurre d'arachides tiédi, crémeux ou croquant
2 c. à table de zeste d'orange râpé
4 c. à table de jus d'orange
1 piment, épépiné et émincé
1 c. à table de racine de gingembre râpée
600 ml / 1 pt d'huile pour la friture

GARNITURE
Quartiers d'orange, persil plat et piment rouge émincé

ACCOMPAGNEMENT
Sauce Satay ***(page 99)*****, salade de riz épicée** ***(page 109)*** **et pain croustillant**

FONDUE **DE DINDE CROUSTILLANTE**

CETTE FONDUE AVEC DE PETITS MORCEAUX DE DINDE DÉLICATEMENT PARFUMÉS À LA MENTHE ET AU CITRON FERA TRÈS CERTAINEMENT LE RÉGAL DE TOUS.

Mélangez la dinde hachée, la menthe ciselée, le zeste de citron, l'oignon, l'ail et assaisonnez le tout à votre goût. Formez ensuite de petites boulettes avec cette préparation.

Mettez l'œuf battu dans une assiette creuse, et la chapelure dans une autre. Trempez les boulettes de viande dans l'œuf, laissez l'excédent retomber, puis roulez-les dans la chapelure. Disposez sur des plats de service et décorez avec des quartiers de citron et des feuilles de menthe. Couvrez et réservez au réfrigérateur.

Faites chauffer l'huile dans le poêlon à 190 °C / 350 °F, puis posez prudemment le tout sur le réchaud allumé. Faites frire les boulettes dans l'huile chaude pendant 3 à 5 minutes, selon leur taille.

Servez accompagné de sauce aigre-douce, de ratatouille froide, de coleslaw à l'orange et de pommes de terre nouvelles.

4 à 6 *personnes*
Préparation : **10 minutes**
Cuisson : **3 à 5 minutes par boulette**

450 g / 1 lb de dinde fraîchement hachée
2 c. à table de menthe fraîche ciselée
2 c. à table de zeste de citron râpé
1 petit oignon, épluché et émincé
2 ou 3 gousses d'ail, pelées et écrasées
Sel et poivre noir fraîchement moulu
1 œuf moyen, battu
175 g / 6 oz de chapelure
600 ml / 1 pt d'huile pour la friture

GARNITURE

Quartiers de citrons et menthe

ACCOMPAGNEMENT

Sauce aigre-douce *(page 97)*, ratatouille froide *(page 109)*, coleslaw au zeste d'orange *(page 114)* et pommes de terre nouvelles

FONDUE **DE DINDE CITRONNÉE**

LA DINDE MARINÉE DANS LE JUS DE CITRON ET LA FLEUR DE MAÏS FOND DANS LA BOUCHE. ESSAYEZ, VOUS SEREZ SÉDUIT !

Détaillez les escalopes de dinde en cubes et mettez-les dans un plat creux. Mélangez le zeste et le jus de citron, l'huile d'olive, la fleur de maïs, les piments et la sauce de soja. Versez la préparation obtenue sur la viande et remuez légèrement. Couvrez et laissez mariner au réfrigérateur pendant au moins 30 minutes, en remuant de temps en temps.

Egouttez la dinde, disposez-la dans de petits bols de service et décorez avec des quartiers de citron et du persil.

Faites chauffer l'huile dans le poêlon à 190 °C / 350 °F, puis posez prudemment le tout sur le réchaud allumé. Piquez la viande sur des fourchettes à fondue et faites-la frire dans l'huile chaude pendant 2 à 4 minutes, selon la taille des cubes.

Servez accompagné de sauce bleue, de mayonnaise verte, de salade verte composée et de riz glutineux.

6 à 8 *personnes*
Préparation : **8 minutes, plus 30 minutes pour la marinade**
Cuisson : **2 à 4 minutes par cube**

900 g / 2 lb d'escalopes de dinde
2 c. à table de zeste de citron râpé
6 c. à table de jus de citron
2 c. à table d'huile d'olive
3 c. à table de fleur de maïs
1 ou 2 c. à thé de piment déshydraté en poudre
2 c. à table de sauce de soja légère
600 ml / 1 pt d'huile pour la friture

GARNITURE

Quartiers de citrons et persil plat

ACCOMPAGNEMENT

Sauce bleue *(page 96)*, mayonnaise verte *(page 96)*, salade verte composée *(page 114)* et riz glutineux (grains courts)

FONDUE **DE CANARD MARINÉ**

POUR CETTE RECETTE, UTILISEZ SI POSSIBLE UN CANARD BARBARIE. LES MAGRETS SONT PLUS CHARNUS ET PLUS PARFUMÉS, ET ILS CONSERVENT TOUTE LEUR SAVEUR EN ÉTANT CUITS RAPIDEMENT DANS L'HUILE.

4 *personnes*
Préparation : **10 minutes, plus 30 minutes pour la marinade**
Cuisson : **2 à 4 minutes par lanière**

3 ou 4 magrets de canard, selon la taille
4 c. à table de marmelade d'orange
3 c. à table de jus d'orange
2 c. à table de sauge fraîche ciselée
2 c. à table d'huile de noix
600 ml / 1 pt d'huile pour la friture

GARNITURE

Lacets d'écorce d'orange et feuilles de sauge

ACCOMPAGNEMENT

Sauce aigre-douce *(page 97)*, trempette à l'orange *(page 102)*, salade de cœurs d'artichauts *(page 115)* et pommes de terre nouvelles

Retirez la peau et le gras du canard, puis détaillez les magrets en lanières que vous mettrez dans un plat creux.

Faites chauffer la marmelade à feu doux, ajoutez le jus d'orange, la sauge et l'huile de noix, et mélangez. Versez la préparation obtenue sur les magrets, mélangez, puis couvrez et laissez mariner au réfrigérateur pendant au moins 30 minutes, en remuant de temps en temps.

Faites chauffer l'huile dans le poêlon à 190 °C / 350 °F, puis posez prudemment le tout sur le réchaud allumé.

Egouttez la viande, disposez-la dans de petits bols de service et décorez avec des lacets d'écorce d'orange et des feuilles de sauge.

Piquez la viande sur des fourchettes à fondue et faites-la frire dans l'huile chaude pendant 2 à 4 minutes, selon la taille des lanières.

Servez accompagné de sauce aigre-douce, de trempette à l'orange, de salade de cœurs d'artichauts et de pommes de terre nouvelles.

FONDUE **DE CANARD SAIGNANT**

TOUT COMME LE STEAK, LA VIANDE DE CANARD PEUT SE MANGER SAIGNANTE OU BIEN CUITE.

4 *personnes*
Préparation : **10 minutes, plus 30 minutes pour la marinade**
Cuisson : **2 à 4 minutes par morceau**

3 ou 4 magrets de canard, selon la taille
4 c. à table de confiture de prunes
2 c. à table de jus de citron
1 c. à thé de piment déshydraté en poudre
1 c. à table de cassonade
1 c. à table de sauce de soja
600 ml / 1 pt d'huile pour la friture

GARNITURE
Quartiers de prunes bien mûres et persil plat

ACCOMPAGNEMENT
Trempette à l'orange ***(page 102)*****, salade de riz épicée** ***(page 109)*** **et salade d'artichauts et de haricots vinaigrette** ***(page 111)***

Retirez la peau et le gras du canard, puis détaillez les magrets en lanières que vous mettrez dans un plat creux.

Faites tiédir la confiture, ajoutez le jus de citron, le piment, le sucre et la sauce de soja. Versez la préparation obtenue sur les magrets, mélangez bien, puis couvrez et laissez mariner au réfrigérateur pendant au moins 30 minutes, en remuant de temps en temps.

Faites chauffer l'huile dans le poêlon à 190 °C / 350 °F, puis posez prudemment le tout sur le réchaud allumé.

Piquez la viande sur des fourchettes à fondue et faites-la frire dans l'huile chaude pendant 2 à 4 minutes.

Décorez avec les quartiers de prunes et le persil, et servez accompagné de trempette à l'orange, de salade de riz épicée et de salade d'artichauts et de haricots vinaigrette.

FONDUE **DE CANARD AUX TOMATES VERTES**

LES TOMATES VERTES PEUVENT SE TROUVER FRAÎCHES OU EN CONSERVE.

4 *personnes*
Préparation : **10 à 12 minutes, plus 30 minutes pour la marinade**
Cuisson : **2 à 4 minutes par morceau**

3 ou 4 magrets de canard, selon la taille
225 g / 8 oz de tomates vertes, épépinées et concassées
2 piments, épépinés et émincés
1 petit oignon émincé
2 ou 3 gousses d'ail écrasées
1 c. à table de zeste de citron râpé (facultatif)
2 c. à table de coriandre fraîche ciselée
5 c. à table d'huile d'olive
2 c. à table de vinaigre balsamique
600 ml / 1 pt d'huile pour la friture

GARNITURE
Quartiers de citrons et coriandre

ACCOMPAGNEMENT
Sauce Salsa ***(page 99)*****, salade épicée aux poivrons et aux champignons** ***(page 116)*** **et tortillas chauds**

Retirez la peau du canard, puis détaillez les magrets en cubes que vous mettrez dans un plat creux. Dans le bol du robot, mettez les tomates vertes, avec les piments, l'oignon, l'ail et le zeste de citron. Réduisez le tout en purée. Ajoutez-y ensuite la coriandre, l'huile d'olive et le vinaigre balsamique, et mélangez. Versez la préparation obtenue sur les magrets, mélangez pour bien les napper, puis couvrez et laissez mariner au réfrigérateur pendant au moins 30 minutes, en remuant de temps en temps.

Faites chauffer l'huile dans le poêlon à 190 °C / 350 °F, puis posez prudemment le tout sur le réchaud allumé. Egouttez la viande, piquez les cubes sur des brochettes ou des fourchettes à fondue et faites-les frire dans l'huile chaude pendant 2 à 4 minutes.

Décorez avec de la coriandre et des quartiers de citrons, et servez accompagné de sauce Salsa, de salade épicée aux poivrons et aux champignons et de tortillas chauds.

FROMAGES

FONDUE **SUISSE TRADITIONNELLE**

RÉPUTÉE POUR ÊTRE À L'ORIGINE DE TOUTES LES FONDUES FROMAGÈRES, CETTE RECETTE EST DÉSORMAIS DEVENUE LE PLAT NATIONAL SUISSE. PRENEZ SOIN D'ACHETER DU VÉRITABLE GRUYÈRE ET DU VÉRITABLE EMMENTHAL SUISSES, CAR ILS SONT MOINS SUSCEPTIBLES DE FAIRE DES GRUMEAUX.

Coupez la gousse d'ail en deux et frottez-en l'intérieur du poêlon. Versez le vin et le jus de citron dans le poêlon que vous placerez ensuite sur le réchaud allumé. Ajoutez petit à petit les fromages sans cesser de remuer, jusqu'à ce qu'ils soient complètement fondus.

Une fois que les fromages fondus entrent en ébullition, diluez la fleur de maïs dans le kirsch et incorporez cette préparation aux fromages fondus. Faites cuire, sans cesser de remuer, pendant 2 à 3 minutes. Ajoutez le reste des ingrédients.

Servez accompagné d'une salade verte composée, de cubes de pain à tremper dans la fondue, et de tranches de poire pour rafraîchir le palais.

4 *personnes*
Préparation : **10 minutes**
Cuisson : **10 à 12 minutes**

1 gousse d'ail
150 ml / 1/4 pt de vin blanc sec
Quelques gouttes de jus de citron
225 g / 8 oz de gruyère râpé
225 g / 8 oz d'emmenthal râpé
1 c. à table de fleur de maïs
2 c. à table de kirsch
1 pincée de sel
1/4 c. à thé de paprika
1/4 c. à thé de muscade râpée

ACCOMPAGNEMENT

Salade verte composée *(page 114)*, cubes de pain à tremper dans la fondue et tranches de poire bien mûre

FONDUE **DE BRIE AU HOMARD**

OPTEZ POUR CETTE RECETTE SI VOUS CHERCHEZ À IMPRESSIONNER VOS INVITÉS. ELLE EST DIABLEMENT CRÉMEUSE, ET POUR FAIRE ENCORE PLUS D'EFFET, VOUS POUVEZ LA SERVIR ACCOMPAGNÉE DE NOIX DE SAINT-JACQUES CUITES, DE GROSSES CREVETTES, DE POINTES D'ASPERGES, DE GRESSINS ET DE BRETZELS.

Faites fondre le beurre dans le poêlon à fondue et faites-y revenir les ciboules (échalotes) à feu doux pendant 10 minutes, jusqu'à ce qu'elles aient ramolli, mais sans les faire dorer. Saupoudrez de farine et laissez cuire encore 2 minutes.

Ajoutez progressivement le bouillon, sans cesser de remuer jusqu'à ce que le mélange épaississe, puis laissez frémir pendant 4 minutes.

Retirez la croûte du brie si vous le souhaitez et coupez-le en dés. Incorporez-le à la fondue avec la crème. Poursuivez la cuisson sans cesser de remuer, jusqu'à ce que le mélange soit homogène.

Incorporez la chair du homard coupée menue, ainsi que le jus de citron, le tabasco, le poivre, le paprika, et laissez chauffer.

Avec précaution, placez le poêlon et son contenu sur le réchaud allumé, parsemez de persil ciselé et servez accompagné des ingrédients à tremper et de salades.

4 *personnes*
Préparation : **10 minutes**
Cuisson : **22 à 25 minutes**

25 g / 1 oz de beurre
4 ciboules (échalotes), épluchées et émincées
2 c. à table de farine
350 ml / 12 oz de court-bouillon ou de bouillon de poulet
350 g / 12 oz de Brie bien fait
150 ml / 1/4 pt de crème riche
225 g / 8 oz de chair de homard, cuite et coupée en petits morceaux
2 c. à table de jus de citron
Sauce tabasco
Poivre noir fraîchement moulu
1 c. à thé de paprika
1 c. à table de persil frais haché

ACCOMPAGNEMENT

Pour tremper dans la préparation au fromage : noix de Saint-Jacques cuites, grosses crevettes, pointes d'asperge blanchies, gressins et bretzels. Salade verte composée *(page 114)* et salade de cœurs d'artichauts *(page 115)*

FONDUE **DE FROMAGES AU CRABE À LA DIABLE**

UTILISEZ SI POSSIBLE DE LA CHAIR DE CRABE FRAÎCHE : SA SAVEUR EST BIEN SUPÉRIEURE À CELLE DU CRABE EN BOÎTE OU SURGELÉ. SI VOUS NE DISPOSEZ PAS DE CRABE FRAIS, AJOUTEZ UN PEU PLUS DE SAUCE TABASCO AFIN DE RELEVER DAVANTAGE LA FONDUE.

4 *personnes*
Préparation : **8 à 10 minutes**
Cuisson : **7 à 9 minutes**

150 ml / 1/4 pt de vin blanc sec
350 g / 12 oz de gruyère râpé
100 g / 4 oz de roquefort émietté
50 g / 2 oz de Boursin
1 c. à table de fleur de maïs
1 c. à thé de graines de moutarde en poudre
225 g / 8 oz de chair de crabe blanche, émiettée
1/4 à 1/2 c. à thé de sauce tabasco
1 c. à table de jus de citron
4 petits oignons frais émincés

ACCOMPAGNEMENT
Pour tremper dans la préparation au fromage : pain croustillant, grosses crevettes cuites, tranches de concombre et feuilles de chicorée. Salade d'artichauts et de haricots vinaigrette ***(page 111)***

Versez le vin dans le poêlon et faites chauffer à feu doux, puis placez-le avec précaution sur le réchaud allumé.

Mêlez les fromages à la fleur de maïs et ajoutez la moutarde en poudre. Incorporez-les progressivement au vin sans cesser de remuer. Une fois que tous les fromages sont dans le poêlon, incorporez la chair de crabe, le tabasco, le jus de citron et les petits oignons frais émincés. Laissez chauffer à feu doux, sans cesser de remuer, jusqu'à ce que le mélange épaississe, puis servez accompagné des ingrédients à tremper et de salade.

FONDUE **CALIFORNIENNE**

J'AI UTILISÉ DANS CETTE RECETTE UN VIN ROSÉ DE LA VALLÉE DE NAPA. CHOISISSEZ UN ROSÉ PLUTÔT SEC QUE DOUX. CE VIN DONNE À LA FONDUE UNE SUPERBE COULEUR ROSE QUI SE MARIE HARMONIEUSEMENT AVEC CELLE DES CREVETTES.

4 *personnes*
Préparation : **10 minutes**
Cuisson : **10 minutes**

1 gousse d'ail
150 ml / 1/4 pt de vin rosé
350 g / 12 oz de gruyère râpé
1 c. à table de fleur de maïs
1 c. à table de kirsch
100 g / 4 oz de crème sure
1/4 c. à thé de muscade râpée
Poivre noir fraîchement moulu
100 g / 4 oz de crevettes cuites, décortiquées et coupées en morceaux
2 c. à table de ciboulette ciselée

ACCOMPAGNEMENT
Pour tremper dans la préparation au fromage : cubes de pain, morceaux d'ananas, de melon, de poire bien mûre et de pomme. Coleslaw au zeste d'orange ***(page 114)*****, salade épicée aux poivrons et aux champignons** ***(page 116)***

Coupez la gousse d'ail en deux et frottez-en l'intérieur du poêlon. Versez le vin dans le poêlon et faites chauffer à feu doux, puis placez-le avec précaution sur le réchaud allumé.

Mêlez le fromage à la fleur de maïs. Incorporez-le progressivement au vin et laissez chauffer à feu doux, sans cesser de remuer, jusqu'à ce que le fromage soit fondu.

Incorporez le kirsch, la crème sure, la muscade et le poivre. Poursuivez la cuisson jusqu'à épaississement de la préparation, puis incorporez les crevettes en morceaux et la ciboulette. Laissez chauffer encore 2 ou 3 minutes avant de servir accompagné des ingrédients à tremper et des salades.

FONDUE **DE STILTON**

LE STILTON EST UN FROMAGE FORT. IL FAUT DONC L'ACCOMPAGNER DE QUANTITÉS PLUS IMPORTANTES DE MOUTARDE ET DE PAPRIKA. POUR UNE PETITE TOUCHE D'ORIGINALITÉ, SERVEZ LE STILTON AVEC DES ABRICOTS FRAIS OU SECS.

Faites chauffer la bière dans le poêlon, puis placez-le sur le réchaud allumé avec précaution.

Mêlez le fromage à la fleur de maïs. Incorporez-le progressivement à la bière, sans cesser de remuer. Une fois que tout le fromage est dans le poêlon, incorporez la moutarde et le paprika, et poursuivez la cuisson à feu doux jusqu'à l'obtention d'un mélange crémeux et homogène.

Servez accompagné des ingrédients à tremper et des salades.

4 *personnes*
Préparation : **10 minutes**
Cuisson : **10 minutes**

225 ml / 8 oz de bière blonde
350 g / 12 oz de stilton émietté
100 g / 4 oz de Monterey Jack, râpé
2 c. à table de fleur de maïs
1 c. à thé de graines de moutarde
1 c. à thé de paprika fort

ACCOMPAGNEMENT

Pour tremper dans la préparation au fromage : petits champignons de Paris, quartiers de pomme, gros grains de raisin rouge, raisin blanc sans pépin et morceaux de melon. Morceaux de stilton bleu, salade méditerranéenne *(page 112)* et salade épicée aux poivrons et aux champignons *(page 116)*

FONDUE **DE FROMAGES AU BACON FUMÉ**

LE CÔTÉ DÉCONTRACTÉ DES REPAS DE FONDUE PERMET DE LIER FACILEMENT CONNAISSANCE : LA CONVERSATION VIENT NATURELLEMENT TANDIS QUE LES CONVIVES TREMPENT LEUR FOURCHETTE DANS LE POÊLON. LES REPAS DE FONDUE SIMPLIFIENT ÉGALEMENT LA TÂCHE DE L'HÔTE QUI PEUT PROFITER DE SA SOIRÉE SANS FAIRE CONSTAMMENT DES ALLERS-RETOURS À LA CUISINE.

Mettez le beurre à fondre dans une casserole et faites revenir l'ail et les ciboules (échalotes) 5 minutes, jusqu'à ce qu'ils ramollissent. Ajoutez le bacon et continuez de faire revenir à feu doux 5 à 8 minutes, jusqu'à ce que le bacon soit croustillant. Egouttez-le ensuite sur du papier absorbant.

Versez le vin dans le poêlon et faites chauffer à feu doux, puis placez-le avec précaution sur le réchaud allumé. Mêlez les fromages à la fleur de maïs, puis incorporez-les progressivement au vin sans cesser de remuer. Une fois que tous les fromages sont fondus, incorporez le bacon égoutté, les ciboules (échalotes), le paprika, la sauce pimentée et le persil. Poursuivez la cuisson jusqu'à ce que la préparation épaississe, puis servez avec les ingrédients à tremper, le pain et le coleslaw à l'orange.

8 *personnes*
Préparation : **15 minutes**
Cuisson : **20 à 23 minutes**

1 c. à table de beurre
1 ou 2 gousses d'ail, pelées et écrasées
4 ciboules (échalotes), épluchées et émincées
225 g / 8 oz de bacon fumé en morceaux
250 ml / 8 oz de vin blanc sec
450 g / 1 lb de gruyère râpé
225 g / 8 oz de Monterey Jack, râpé
2 c. à table de fleur de maïs
1 c. à thé de paprika
$^1/_4$ ou $^1/_2$ c. à thé de sauce pimentée, ou au goût
1 c. à table de persil frais ciselé

ACCOMPAGNEMENT

Pour tremper dans la préparation au fromage : quartiers de pomme et morceaux d'ananas frais, bâtonnets de céleri et de carottes, cubes de pain croustillant. Coleslaw au zeste d'orange *(page 114)*

FONDUE **AUTOMNALE**

NE VOUS LAISSEZ PAS TROMPER PAR SON NOM : CETTE FONDUE PEUT SE DÉGUSTER EN TOUTES SAISONS.

6 à 8 *personnes*
Préparation : **12 minutes**
Cuisson : **12 à 14 minutes**

1 gousse d'ail
150 ml / 1/4 pt de vin blanc sec
150 ml / 1/4 pt de jus de canneberge et de pomme
350 g / 12 oz d'emmenthal râpé
225 g / 8 oz de Monterey Jack, râpé
2 c. à table de fleur de maïs
1 c. à thé de moutarde en poudre
2 c. à table de calvados ou autre brandy

ACCOMPAGNEMENT
Cubes de pain complet, lanières de poivrons jaunes et rouges, bâtonnets de céleri et de carottes, quartiers de pomme, bouquets de brocoli, pommes de terre vapeur, salade d'avocats et de mangue *(page 106)* et ratatouille froide *(page 109)*

Coupez la gousse d'ail en deux et frottez-en l'intérieur du poêlon. Versez le vin et le jus de fruit dans le poêlon et faites chauffer à feu doux, puis placez-le avec précaution sur le réchaud allumé.

Mêlez le fromage à la fleur de maïs et à la moutarde en poudre. Incorporez-le progressivement au vin et laissez chauffer à feu doux, sans cesser de remuer, jusqu'à ce que le fromage soit fondu.

Incorporez le calvados ou un autre brandy, et poursuivez la cuisson jusqu'à ce que la préparation soit épaisse et homogène. Servez avec les ingrédients à tremper, les pommes de terre vapeur et les salades.

FONDUE **AUX NOIX ET AU BRANDY**

LA SAVEUR DES NOIX EST REHAUSSÉE PAR LE CALVADOS ET LE FROMAGE UTILISÉS DANS CETTE RECETTE. SI VOUS NE DISPOSEZ PAS DE CALVADOS, VOUS POUVEZ UTILISER UN AUTRE BRANDY.

6 à 8 *personnes*
Préparation : **10 à 12 minutes**
Cuisson : **10 minutes**

1 gousse d'ail
250 ml / 8 oz de vin blanc sec
4 c. à table de calvados
225 g / 8 oz de cheddar arrivé à maturation, râpé
350 g / 12 oz de gruyère râpé
100 g / 4 oz de fromage de chèvre émietté
2 c. à table de fleur de maïs
2 c. à thé de sauce Worcestershire
1/2 c. à thé de sauce tabasco, ou plus selon les goûts
100 g / 4 oz de noix concassées

ACCOMPAGNEMENT
Pour tremper dans la préparation au fromage : cubes de pain croustillant, lanières de courgettes, quartiers de pomme et de mangue, piments au vinaigre. Ratatouille froide *(page 109)* et salade verte composée *(page 114)*

Coupez la gousse d'ail en deux et frottez-en l'intérieur du poêlon. Versez le vin et le calvados dans le poêlon et faites chauffer à feu doux, puis placez-le avec précaution sur le réchaud allumé.

Mêlez le fromage à la fleur de maïs et incorporez-le progressivement au vin. Laissez chauffer à feu doux, sans cesser de remuer, jusqu'à ce que le fromage soit complètement fondu.

Incorporez la sauce Worcestershire, le tabasco et les noix. Poursuivez la cuisson, sans cesser de remuer, jusqu'à ce que la préparation soit épaisse et homogène. Servez avec les ingrédients à tremper et les salades.

FONDUE **DE FROMAGE HOLLANDAIS**

AVEC UN FROMAGE AUSSI DOUX QUE LE GOUDA, IL EST JUDICIEUX D'AJOUTER UN PEU DE MOUTARDE ET DE POIVRE DE CAYENNE AFIN DE RELEVER LE GOÛT DE LA FONDUE.

Coupez la gousse d'ail en deux et frottez-en l'intérieur du poêlon. Placez prudemment le poêlon sur le réchaud allumé, versez-y le vin et faites chauffer à feu doux.

Incorporez progressivement le fromage, sans cesser de remuer, jusqu'à ce qu'il soit complètement fondu. Mélangez la poudre de moutarde avec le brandy et une cuillère à table d'eau, puis incorporez la pâte obtenue à la fondue. Assaisonnez avec le poivre de Cayenne.

Délayez la fleur de maïs dans deux cuillères à table d'eau, puis incorporez ce mélange à la fondue. Poursuivez la cuisson pendant 2 ou 3 minutes, sans cesser de remuer, jusqu'à ce que la préparation ait épaissi, puis servez accompagné de pain et de légumes à tremper.

6 *personnes*
Préparation : **10 minutes**
Cuisson : **10 à 12 minutes**

1 gousse d'ail
250 ml / 8 oz de vin blanc sec
450 g / 1 lb de gouda râpé
1 ou 2 c. à thé de moutarde en poudre
1 c. à table de brandy
Poivre de Cayenne
1 1/2 c. à table de fleur de maïs

ACCOMPAGNEMENT

Pour tremper dans la préparation au fromage : morceaux de pain complet chaud, quartiers de pomme, rondelles de concombre, radis, tomates cerises et bâtonnets de céleri.

FONDUE **DE FROMAGE AU POIVRON ROUGE**

EN GÉNÉRAL, JE PRÉFÈRE PELER LES POIVRONS AVANT DE LES UTILISER, ILS SONT AINSI PLUS DIGESTES (VOIR FONDUE AU CIDRE ET POIVRONS ROUGES, PAGE 84). LES POIVRONS CRUS SONT CEPENDANT PRÉFÉRABLES POUR TREMPER DANS LA FONDUE CHAUDE, CAR ILS RESTENT CROUSTILLANTS.

Versez le cidre dans le poêlon et chauffez à feu doux. Mêlez le gruyère à la fleur de maïs, et incorporez-le petit à petit au cidre, sans cesser de remuer. Une fois que tout le gruyère a été ajouté, incorporez le gorgonzola, le poivron, le maïs doux, le tabasco et le poivre. Poursuivez la cuisson à feu doux, sans cesser de remuer, jusqu'à ce que la préparation soit épaisse et homogène.

Incorporez alors à la fondue le basilic ciselé, les câpres, les olives, et laissez chauffer à feu doux.

Avec prudence, transférez le poêlon sur le réchaud allumé et servez la fondue accompagnée des ingrédients à tremper et des salades.

6 *personnes*
Préparation : **20 minutes, y compris le pelage du poivron**
Cuisson : **10 minutes**

250 ml / 8 oz de cidre brut
350 g / 12 oz de gruyère râpé
2 c. à table de fleur de maïs
100 g / 4 oz de gorgonzola émietté
1 poivron rouge, épépiné, pelé et détaillé en dés
200 g / 7 oz de maïs doux en conserve
1/4 ou 1/2 c. à thé de sauce tabasco
Poivre noir fraîchement moulu
2 c. à table de basilic frais ciselé
1 ou 2 c. à table de câpres
65 g / 2 1/2 oz d'olives noires, dénoyautées et émincées

ACCOMPAGNEMENT

Pour tremper dans la préparation au fromage : cubes de pain complet, lanières de poivrons jaunes et rouges, bâtonnets de céleri et de carottes. Salade de riz épicée *(page 109)* et salade méditerranéenne *(page 112)*.

FONDUE **AUX CHAMPIGNONS ET AUX OIGNONS**

LES CHAMPIGNONS DÉSHYDRATÉS SE TROUVENT FACILEMENT DANS LE COMMERCE. ILS SE CONSERVENT AISÉMENT À LA MAISON ET PEUVENT ÊTRE RAPIDEMENT RÉHYDRATÉS POUR ACCOMMODER DES RISOTTOS, DES PLATS EN SAUCE, DES OMELETTES OU ENCORE DES PÂTES. CHAQUE FOIS QUE POSSIBLE, RÉCUPÉREZ L'EAU DANS LAQUELLE ILS ONT TREMPÉ, CAR ELLE EST TRÈS PARFUMÉE.

Recouvrez les champignons secs d'eau très chaude, mais non bouillante, et laissez-les se réhydrater pendant 20 minutes. Egouttez-les, réservez 120 ml / 4 oz de l'eau de trempage, et émincez-les finement.

Mettez l'huile à chauffer dans le poêlon et faites-y sauter les ciboules (échalotes), le piment et l'ail pendant 5 minutes. Ajoutez les petits champignons de Paris émincés ainsi que les champignons réhydratés, et faites sauter encore 3 minutes. Saupoudrez de farine et laissez cuire encore 2 minutes, incorporez ensuite progressivement l'eau de trempage précédemment réservée, puis le vin et enfin le brandy. Transférez prudemment le poêlon sur le réchaud allumé.

Laissez cuire, en remuant, jusqu'à ce que le mélange épaississe, puis incorporez progressivement le gruyère râpé. Poursuivez la cuisson en remuant, jusqu'à ce que le fromage ait fondu et que le mélange soit homogène.

Incorporez enfin la crème, laissez chauffer à feu doux, et servez accompagné des ingrédients à tremper et des salades.

6 à 8 *personnes*
Préparation : **10 minutes, plus 20 minutes pour le trempage**
Cuisson : **20 minutes**

2 c. à table de champignons déshydratés (des cèpes, par exemple)
3 c. à table d'huile d'olive
4 ciboules (échalotes) émincées
1 piment rouge, épépiné et émincé
2 ou 3 gousses d'ail écrasées
100 g / 4 oz de petits champignons de Paris émincés
3 c. à table de farine
250 ml / 8 oz de vin blanc sec
2 c. à table de brandy
450 g / 1 lb de gruyère râpé
2 c. à table de crème légère

ACCOMPAGNEMENT

Pour tremper dans la préparation au fromage : gros dés de poivrons rouges et jaunes, bâtonnets de courgette, tomates cerises, raisins rouges et blancs sans pépin, cubes de pain.
Ratatouille froide ***(page 109)*****, salade verte composée** ***(page 114)*** **et salade de haricots rouges et pepperoni** ***(page 118)***

FONDUE **À LA SAUGE**

SI VOUS NE TROUVEZ PAS DE FROMAGE DERBY À LA SAUGE, REMPLACEZ-LE PAR DU GRUYÈRE ET AJOUTEZ UN PEU DE SAUGE FRAÎCHE CISELÉE À LA FONDUE.

4 à 6 *personnes*
Préparation : **10 minutes**
Cuisson : **10 minutes**

1 gousse d'ail
450 ml / $^3/_4$ pt de jus de pomme
350 g / 12 oz de gruyère râpé
100 g / 4 oz de derby à la sauge râpé
2 c. à table de fleur de maïs
1 ou 2 c. à table de sauge fraîche ciselée
Poivre noir fraîchement moulu

ACCOMPAGNEMENT

Pour tremper dans la préparation au fromage : quartiers de pomme et de poire, lanières de poivrons rouges et jaunes, bouquets de brocoli et de chou-fleur, tomates cerises et morceaux de pain complet chaud et croustillant. Salade verte composée *(page 114)*

Coupez la gousse d'ail en deux et frottez-en l'intérieur du poêlon. Versez le jus de pomme dans le poêlon et faites chauffer à feu doux, puis placez-le avec précaution sur le réchaud allumé.

Mêlez les fromages à la fleur de maïs et incorporez-les progressivement au jus de pomme sans cesser de remuer, jusqu'à ce que les fromages aient fondu.

Ajoutez enfin la sauge ciselée et poivrez, puis continuez de remuer jusqu'à l'obtention d'un mélange épais et homogène. Servez accompagné des ingrédients à tremper et de la salade verte composée.

FONDUE **À LA BIÈRE BLONDE**

COMME LE SUGGÈRE SON NOM, CETTE FONDUE S'ACCOMPAGNE TRÈS BIEN DE BIÈRE BLONDE OU DE BIÈRE EN GÉNÉRAL.

4 à 6 *personnes*
Préparation : **10 minutes**
Cuisson : **10 à 12 minutes**

1 gousse d'ail
250 ml / 8 oz de bière blonde ou de bière légère
225 g / 8 oz de Monterey Jack, râpé
100 g / 4 oz d'emmenthal râpé
2 c. à table de fleur de maïs
175 g / 6 oz de roquefort émietté
$^1/_4$ ou $^1/_2$ c. à thé de sauce tabasco, ou au goût
1 c. à thé de moutarde de Dijon
Poivre noir fraîchement moulu

ACCOMPAGNEMENT

Pour tremper dans la préparation au fromage : piments et gros cornichons au vinaigre, grosses olives dénoyautées et cubes de baguette chaude. Coleslaw au zeste d'orange *(page 114)*, salade de haricots rouges et pepperoni *(page 118)* et pommes de terre

Coupez la gousse d'ail en deux et frottez-en l'intérieur du poêlon. Versez la bière et chauffez à feu doux, puis placez prudemment le poêlon sur le réchaud allumé. Mêlez le Monterey Jack et l'emmenthal à la fleur de maïs et mettez-les dans le poêlon. Cuisez à feu doux sans cesser de remuer, jusqu'à ce que les fromages aient fondu.

Incorporez ensuite le roquefort, le tabasco, la moutarde de Dijon et poivrez. Poursuivez la cuisson à feu doux sans cesser de remuer, jusqu'à ce que la préparation soit crémeuse et homogène. Servez accompagné des ingrédients à tremper, des salades et des pommes de terre.

FONDUE **DE MANHATTAN**

J'AIME TOUT PARTICULIÈREMENT LES FROMAGES À LA CRÈME AU POIVRE. SI TOUTEFOIS VOUS N'EN TROUVIEZ PAS, VOUS POUVEZ UTILISER D'AUTRES SORTES DE FROMAGES À LA CRÈME, COMME CEUX AUX FINES HERBES OU À LA CIBOULETTE. LES FROMAGES ALLÉGÉS PEUVENT ÉGALEMENT ÊTRE UTILISÉS.

Coupez la gousse d'ail en deux et frottez-en l'intérieur du poêlon. Versez le vin dans le poêlon et faites chauffer à feu doux, puis placez-le avec précaution sur le réchaud allumé.

Mêlez le Monterey Jack à la fleur de maïs et incorporez-le progressivement au vin, sans cesser de remuer. Incorporez ensuite le fromage à la crème et le jus de citron. Poursuivez la cuisson à feu doux sans cesser de remuer, jusqu'à ce que la préparation épaississe.

Incorporez enfin les oignons frais émincés, le saumon fumé et le tabasco. Laissez chauffer à feu doux jusqu'à ce que le mélange épaississe, puis servez accompagné des ingrédients à tremper et des salades.

4 à 6 *personnes*
Préparation : **7 à 9 minutes**
Cuisson : **10 minutes**

1 gousse d'ail
150 ml / 1/4 pt de vin blanc sec
300 g / 10 oz de Monterey Jack, râpé
2 c. à table de fleur de maïs
175 g / 6 oz de fromage à la crème au poivre, en cubes
1 c. à table de jus de citron
6 petits oignons frais émincés
100 g / 4 oz de saumon fumé, coupé menu
Sauce tabasco

ACCOMPAGNEMENT

Pour tremper dans la préparation au fromage : bretzels, gressins et bagels en morceaux. Choucroute en salade *(page 107)* et salade de cœurs d'artichauts *(page 115)*

FONDUE **DE VIRGINIE**

LA MOUTARDE FAIT RESSORTIR LE GOÛT DU FROMAGE. SI VOUS NE TROUVEZ PAS DE MOUTARDE À L'ANCIENNE, AJOUTEZ UNE CUILLÈRE À THÉ DE MOUTARDE EN POUDRE À LA FARINE.

Mettez le beurre à fondre dans le poêlon et versez la farine en pluie. Laissez cuire 2 minutes, puis incorporez la moutarde, le raifort et le lait. Poursuivez la cuisson en remuant bien, jusqu'à ce que le mélange épaississe.

Incorporez progressivement les fromages râpés, assaisonnez puis ajoutez le sherry.

Poursuivez la cuisson jusqu'à l'obtention d'une préparation crémeuse et homogène. Incorporez enfin le jambon. Transférez prudemment le poêlon sur le réchaud et servez accompagné des ingrédients à tremper et des salades.

4 à 6 *personnes*
Préparation : **10 minutes**
Cuisson : **12 à 14 minutes**

50 g / 2 oz de beurre
3 c. à table de farine
1 c. à thé de moutarde à l'ancienne
1 c. à thé de sauce au raifort
250 ml / 8 oz de lait
350 g / 12 oz de Monterey Jack, râpé
100 g de feta (fromage grec) émiettée
Sel et poivre noir fraîchement moulu
4 c. à table de sherry sec
175 g / 6 oz de jambon de Virginie, haché

ACCOMPAGNEMENT

Pour tremper dans la préparation au fromage : bâtonnets de céleri et de carottes, bouquets de chou-fleur, tomates cerises, petits champignons de Paris et cubes de pain de seigle. Choucroute en salade *(page 107)*, salade épicée aux poivrons et aux champignons *(page 116)* et salade de pommes de terre et pommes fruits à la crème *(page 117)*

LÉGUMES

FONDUE **AU CIDRE ET AUX POIVRONS ROUGES**

LES POIVRONS SONT MEILLEURS ET PLUS DIGESTES LORSQU'ILS SONT PELÉS. POUR CELA, COUPEZ-LES EN QUATRE ET PASSEZ-LES SOUS LE GRIL DU FOUR PENDANT ENVIRON 10 MINUTES. ENFERMEZ-LES ENSUITE DANS UN SAC EN PLASTIQUE ET LAISSEZ-LES REFROIDIR. VOUS N'AUREZ AUCUNE DIFFICULTÉ À EN RETIRER LA PEAU.

Mettez le beurre à fondre dans le poêlon et faites revenir les petits oignons frais à feu doux pendant 3 minutes. Versez le cidre dans le poêlon. Faites chauffer, puis placez le poêlon sur le réchaud allumé avec précaution.

Ajoutez le fromage râpé dans le poêlon et faites chauffer sans cesser de remuer, jusqu'à ce que le fromage ait fondu.

Ajoutez ensuite les poivrons, le maïs et les olives émincées, poivrez, et poursuivez la cuisson jusqu'à l'obtention d'une préparation épaisse et homogène. Juste avant de servir, parsemez de basilic ciselé et décorez avec de petites feuilles de basilic. Enfin, servez accompagné des ingrédients à tremper, de la sauce et des salades.

6 *personnes*
Préparation : **10 à 12 minutes**
Cuisson : **11 à 13 minutes**

50 g / 2 oz de beurre
8 petits oignons frais, épluchés et émincés
300 ml / 1/2 pt de cidre brut pas trop fort
450 g / 1 lb de gruyère râpé
2 poivrons rouges, pelés et émincés
175 g / 6 oz de maïs en conserve
65 g / 2 1/2 oz d'olives noires ou vertes, dénoyautées et émincées
Poivre noir fraîchement moulu
1 c. à table de basilic frais ciselé (facultatif)

GARNITURE
Petites feuilles de basilic

ACCOMPAGNEMENT
Pour tremper dans la préparation au fromage : épis de maïs miniatures, gressins, bretzels, lanières de poivrons rouges, jaunes et verts, quartiers de poire. Sauce tomate verte *(page 100)*, salade de cœurs d'artichauts *(page 115)* et taboulé à la menthe et au citron *(page 118)*

FONDUE **AUX POMMES ET AUX ARTICHAUTS**

LE JUS DE POMME PEUT ÊTRE CLAIR OU TROUBLE. JE VOUS RECOMMANDE D'UTILISER UN JUS DE POMME CLAIR, NON PAS POUR LE GOÛT, MAIS POUR L'ASPECT.

Mettez le jus de pomme à chauffer dans le poêlon. Une fois qu'il est chaud, posez-le avec prudence sur le réchaud. Incorporez les fromages et poursuivez la cuisson sans cesser de remuer, jusqu'à ce que les fromages soient fondus. Ajoutez alors les cœurs d'artichauts en morceaux et les petits oignons frais émincés. Poivrez.

Dans un petit saladier, délayez la fleur de maïs avec le calvados et incorporez ce mélange à la fondue. Poursuivez la cuisson jusqu'à ce que la préparation épaississe. Servez avec la mayonnaise, les ingrédients à tremper et des salades.

6 à 8 *personnes*
Préparation : **10 minutes**
Cuisson : **15 minutes**

300 ml / $^{1}/_{2}$ pt de jus de pomme
350 g / 12 oz d'emmenthal râpé
100 g / 4 oz de fromage de chèvre émietté
175 g / 6 oz de cœurs d'artichauts en conserve, détaillés en morceaux
6 petits oignons frais émincé
Poivre noir fraîchement moulu
2 c. à table de fleur de maïs
3 c. à table de calvados ou autre brandy

ACCOMPAGNEMENT

Pour tremper dans la préparation au fromage : quartiers de pomme, bâtonnets de courgette et de carotte et pain croustillant. Mayonnaise verte *(page 96)*, salade de cœurs d'artichauts *(page 115)* et salade épicée aux poivrons et aux champignons *(page 116)*

FONDUE **AUX POMMES ET AU CRESSON**

LE CRESSON PEUT TRÈS BIEN ÊTRE REMPLACÉ PAR DE L'OSEILLE.

4 à 6 *personnes*
Préparation : **10 minutes**
Cuisson : **15 minutes**

1 gousse d'ail
250 ml / 8 oz de jus de pomme
2 c. à table de brandy
300 g / 10 oz d'emmenthal râpé
100 g / 4 oz de gorgonzola émietté
1 c. à table de fleur de maïs
2 c. à thé de miel clair
Poivre noir fraîchement moulu
40 g / $1^1/_2$ oz de cresson haché

ACCOMPAGNEMENT

Pour tremper dans la préparation au fromage : cresson, quartiers de pomme, morceaux d'ananas, pointes d'asperge blanchies, oignons grelot au vinaigre et cubes de pain à la levure chimique ou de pain complet. Taboulé à la menthe et au citron ***(page 118)***

Coupez la gousse d'ail en deux et frottez-en l'intérieur du poêlon. Versez le jus de pomme et le brandy dans le poêlon et placez-le avec précaution sur le réchaud allumé. Faites chauffer à feu doux.

Mêlez les fromages à la fleur de maïs et incorporez-les progressivement au jus de pomme, sans cesser de remuer.

Une fois que tout le fromage a été versé dans le poêlon, incorporez le miel et poivrez. Poursuivez la cuisson tout en remuant, jusqu'à l'obtention d'un mélange épais et homogène.

Incorporez enfin le cresson haché à la fondue et servez accompagné des ingrédients à tremper et du taboulé.

FONDUE **AUX AVOCATS ET AUX PACANES**

CHOISISSEZ LES AVOCATS BIEN MÛRS, MAIS FERMES, AUTREMENT CELA GÂCHERAIT LA COULEUR DE LA FONDUE.

4 à 6 *personnes*
Préparation : **12 à 15 minutes**
Cuisson : **15 minutes**

6 petits oignons frais émincés
250 ml / 8 oz de vin blanc sec
2 gros avocats bien mûrs
2 c. à table de jus de citron
300 g / 10 oz de gruyère râpé
100 g / 4 oz de fromage bleu (gorgonzola, par exemple) émietté
1 c. à table de fleur de maïs
50 g / 2 oz de pacanes concassées
3 c. à table de crème légère
Noix de muscade râpée

ACCOMPAGNEMENT

Pour tremper dans la préparation au fromage : gressins, bretzels, grosses crevettes cuites, morceaux de melon et quartiers de poire. Salade d'artichauts et de haricots vinaigrette ***(page 111)*****, salade verte composée** ***(page 114)*****, pommes de terre**

Laissez cuire à feu doux les oignons dans le vin pendant 3 minutes. Récupérez la chair des avocats et réduisez-la en purée en y ajoutant le jus de citron. Réservez.

Mêlez les fromages à la fleur de maïs et incorporez-les progressivement dans le poêlon. Laissez cuire, tout en remuant, jusqu'à ce que le fromage soit fondu.

Incorporez la purée d'avocat à la fondue, puis ajoutez les pacanes et la crème. Assaisonnez avec la muscade. Poursuivez la cuisson tout en remuant, jusqu'à ce que la préparation épaississe. Servez accompagné des ingrédients à tremper, des salades et de pommes de terre.

FONDUE **AUX LÉGUMES ASIATIQUES**

ON PEUT TROUVER DANS LE COMMERCE DES DIM SUM TOUT PRÊTS, QUI ACCOMPAGNERONT À MERVEILLE CETTE FONDUE. POUR UNE PETITE TOUCHE ASIATIQUE SUPPLÉMENTAIRE, AJOUTEZ UN PEU D'HUILE DE SÉSAME À L'HUILE DE FRITURE.

Préparez les légumes en les détaillant en lanières ou en morceaux. Si vous préférez qu'ils soient plus tendres, plongez-les 3 à 5 minutes dans l'eau bouillante, puis égouttez-les et disposez-les dans de petits bols. Coupez le tofu en dés et mettez-le également dans de petits bols.

A l'aide d'un fouet, battez le jaune d'œuf avec l'eau, la farine et une cuillère à thé d'huile de sésame, jusqu'à ce que le mélange soit mousseux. Montez le blanc d'œuf en neige ferme et incorporez-le délicatement à la préparation précédente. Couvrez et laissez reposer cette pâte 30 minutes.

Faites chauffer l'huile et l'huile de sésame restante dans une marmite mongole ou un poêlon à fondue, que vous placerez avec précaution sur le réchaud allumé.

Piquez les légumes et les dés de tofu sur les fourchettes à fondue, trempez-les dans la pâte puis dans l'huile chaude. Laissez dorer 2 à 3 minutes. Piquez les dim sum sur les fourchettes à fondue et trempez-les directement dans l'huile chaude, sans les enrober de pâte.

Décorez avec des oignons frais émincés et servez accompagné de trempettes, de salade et de riz glutineux.

6 *personnes*
Préparation : **15 minutes, plus 30 minutes de repos pour la pâte**
Cuisson : **2 à 3 minutes par légume**

100 g / 4 oz d'épis de maïs miniatures
100 g / 4 oz de petites pointes d'asperge
175 g / 6 oz de châtaignes d'eau
1 poivron rouge épépiné
1 poivron jaune épépiné
100 g / 4 oz de pousses de bambou
175 g / 6 oz de tofu ferme
1 œuf moyen, blanc et jaune séparés
250 ml / 1/4 pt d'eau glacée
100 g / 4 oz de farine
3 c. à thé d'huile de sésame
600 ml / 1 pt d'huile pour la friture
1 paquet de dim sum prêts à l'emploi (facultatif)

GARNITURE
Petits oignons frais émincés

ACCOMPAGNEMENT
Sauce de soja, sauces chinoises, sauce aigre-douce *(page 97)*, salade verte chinoise mixte *(page 108)* et riz glutineux (grains courts)

FONDUE **AUX ÉPINARDS**

LES ÉPINARDS FRAIS SE TROUVENT FACILEMENT CHEZ LES MARCHANDS DE PRIMEURS ET SUR LES MARCHÉS. VOUS GAGNEREZ CEPENDANT DU TEMPS AVEC DES ÉPINARDS SURGELÉS, DÉJÀ LAVÉS ET HACHÉS. SI VOUS UTILISEZ DES SURGELÉS, FAITES-LES D'ABORD DÉCONGELER ET EXPRIMEZ TOUTE L'EAU.

Mettez le beurre à fondre dans le poêlon et faites revenir l'oignon et l'ail à feu doux pendant 5 minutes, jusqu'à ce qu'ils soient transparents. Versez le cidre dans le poêlon. Faites chauffer, puis placez le poêlon sur le réchaud allumé avec précaution.

Mêlez les fromages à la fleur de maïs et incorporez-les progressivement dans le poêlon. Exprimez toute l'eau des épinards et hachez-les. Ajoutez-les dans le poêlon et poursuivez la cuisson, jusqu'à l'obtention d'un mélange crémeux et homogène.

Incorporez ensuite le zeste et le jus de citron, le miel, poivrez et poursuivez la cuisson encore 5 minutes. Enfin, servez accompagné des ingrédients à tremper et des salades.

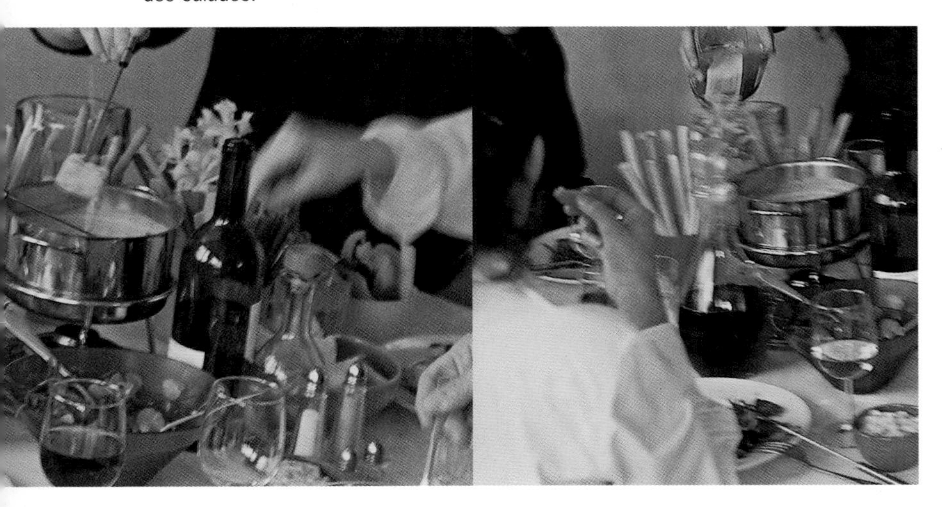

5 à 6 *personnes*
Préparation : **15 minutes**
Cuisson : **12 à 15 minutes**

50 g / 2 oz de beurre
1 oignon moyen, finement émincé
2 ou 3 gousses d'ail écrasées
300 ml / $^{1}/_{2}$ pt de cidre brut
225 g / 8 oz d'emmenthal râpé
100 g / 4 oz de gorgonzola émietté
2 c. à table de fleur de maïs
225 g / 8 oz d'épinards surgelés, décongelés
1 c. à table de zeste de citron râpé
2 ou 3 c. à table de jus de citron
1 ou 2 c. à thé de miel clair, ou plus selon les goûts
Poivre noir fraîchement moulu

ACCOMPAGNEMENT

Pour tremper dans la préparation au fromage : gressins, branches de céleri, quartiers de pomme, morceaux de salami et de chipolata. Salade d'artichauts et haricots vinaigrette *(page 111)* et coleslaw au zeste d'orange *(page 114)*

FONDUE **AUX OIGNONS ET AU CARVI**

ON TROUVE AUJOURD'HUI DANS LE COMMERCE DE NOMBREUSES VARIÉTÉS D'OIGNONS. PERSONNELLEMENT, JE PRÉFÈRE LES OIGNONS BLANCS, QUI SONT PLUS DOUX QUE LES OIGNONS JAUNES.

4 *personnes*
Préparation : **10 minutes**
Cuisson : **20 minutes**

50 g / 2 oz de beurre
450 g / 1 lb d'oignons émincés
2 ou 3 gousses d'ail, pelées et écrasées
1 ou 2 c. à thé de graines de carvi
150 ml / $^{1}/_{4}$ pt de vin blanc sec
300 g / 10 oz de gruyère râpé
100 g de feta (fromage grec) émiettée
2 c. à table de fleur de maïs
1 c. à thé de moutarde à l'ancienne
Poivre noir fraîchement moulu
$^{1}/_{4}$ c. à thé de muscade râpée

ACCOMPAGNEMENT

Pour tremper dans la préparation au fromage : saucisses de Francfort, bâtons de pepperoni, cubes de pain noir et de bretzels. Choucroute en salade *(page 107)*, salade verte composée *(page 114)*, salade de pommes de terre et pommes fruits à la crème *(page 117)*

Mettez le beurre à fondre dans le poêlon et faites revenir les oignons et l'ail à feu doux pendant 10 à 15 minutes, jusqu'à ce qu'ils soient transparents. Ajoutez le carvi et laissez cuire encore 2 minutes. Versez le vin dans le poêlon et faites-le chauffer, puis placez avec précaution le poêlon sur le réchaud allumé.

Mêlez les fromages à la fleur de maïs et incorporez-les progressivement dans le poêlon, sans cesser de remuer jusqu'à ce qu'ils aient complètement fondu.

Ajoutez enfin la moutarde, le poivre et la muscade. Laissez chauffer à feu doux jusqu'à l'obtention d'un mélange épais et homogène. Enfin, servez accompagné des ingrédients à tremper et des salades.

FONDUE **AUX ASPERGES**

CETTE FONDUE EST TRÈS RAPIDE À PRÉPARER. ELLE EST IDÉALE QUAND DES AMIS ARRIVENT À L'IMPROVISTE.

4 *personnes*
Préparation : **10 minutes**
Cuisson : **15 minutes**

2 ou 3 gousses d'ail écrasées
6 à 8 pointes d'asperge fraîches, émincées
300 ml / $^{1}/_{2}$ pt de jus de pomme
2 c. à table de sherry
350 g / 12 oz d'emmenthal râpé
2 c. à table de fleur de maïs
Sauce tabasco
Poivre noir fraîchement moulu

ACCOMPAGNEMENT

Pour tremper dans la préparation au fromage : pointes d'asperge fraîches blanchies, bâtonnets de concombre et de carotte et cœurs d'artichauts. Pommes de terre nouvelles et salade verte composée *(page 114)*

Dans une casserole, faites cuire à feu doux l'ail et les asperges dans le jus de pomme pendant 5 minutes, jusqu'à ce qu'ils aient ramolli. Ajoutez le sherry. Remuez délicatement pour bien mélanger les ingrédients, jusqu'à ce que le mélange soit chaud. Transvasez-le ensuite dans le poêlon que vous placerez avec précaution sur le réchaud allumé.

Mêlez les fromages à la fleur de maïs et incorporez-les progressivement dans le poêlon, sans cesser de remuer, jusqu'à ce qu'ils aient complètement fondu. Assaisonnez à votre goût avec le tabasco et le poivre, et poursuivez la cuisson jusqu'à ce que le mélange soit épais et homogène. Enfin, servez accompagné des ingrédients à tremper, des pommes de terre et des salades.

FONDUE **AU MÉLI-MÉLO DE LÉGUMES**

POUR LE PLAISIR DES YEUX, MAIS AUSSI DES PAPILLES, SÉLECTIONNEZ DES LÉGUMES DE COULEURS, DE FORMES ET DE TEXTURES DIFFÉRENTES.

Battez au fouet le jaune d'œuf avec l'eau, le jus de pomme, la farine et l'huile d'olive jusqu'à ce que le mélange soit mousseux. Montez le blanc d'œuf en neige ferme et incorporez-le délicatement à la préparation. Couvrez la pâte obtenue et laissez reposer au moins 30 minutes.

Préparez les légumes : détaillez le brocoli et le chou-fleur en petits bouquets, faites-les blanchir 2 minutes dans l'eau bouillante, égouttez puis rafraîchissez sous l'eau froide. Essuyez-les bien ensuite avec du papier absorbant. Lavez puis séchez les lanières de poivron. Rincez puis séchez les bâtonnets de courgette. Plongez les bâtonnets de carotte 2 minutes dans l'eau bouillante, égouttez puis séchez. Nettoyez les cœurs d'artichauts puis séchez-les bien avec du papier absorbant. Essuyez bien les champignons.

Faites chauffer l'huile dans le poêlon, puis transférez-le prudemment sur le réchaud allumé.

Trempez les légumes préparés dans la pâte, piquez-les sur les fourchettes à fondue, puis faites-les dorer 2 à 3 minutes dans l'huile chaude. Servez accompagné des trempettes, des pommes de terre et de la salade.

6 *personnes*
Préparation : **15 minutes, plus 30 minutes de repos pour la pâte**
Cuisson : **2 à 3 minutes par légume**

1 petit œuf, blanc et jaune séparés
175 ml / 6 oz d'eau glacée
50 ml / 2 oz jus de pomme
100 g / 4 oz de farine
1 c. à thé d'huile d'olive
675 g / 1 1/2 lb de légumes assortis : chou-fleur, brocoli, lanières de poivrons de différentes couleurs, bâtonnets de courgette et de carotte, cœurs d'artichauts, champignons, etc.
600 ml / 1 pt d'huile pour la friture

ACCOMPAGNEMENT

Sauce bleue ***(page 96)*****, sauce Salsa** ***(page 99)*****, sauce madère** ***(page 103)*****, salade de riz épicée** ***(page 109)*** **et pommes de terre nouvelles**

FONDUE **AU GUACAMOLE**

LES AVOCATS ONT UNE TEXTURE MERVEILLEUSEMENT ONCTUEUSE ET UN DÉLICIEUX GOÛT DE NOISETTE. POUR ÉVITER QUE LA COULEUR NE VIRE, PRÉPAREZ CETTE FONDUE AU DERNIER MOMENT ET AJOUTEZ-Y UN JUS DE CITRON JAUNE OU VERT.

Coupez la gousse d'ail en deux et frottez-en l'intérieur du poêlon, puis versez le vin blanc. Posez-le prudemment sur le réchaud allumé et laissez chauffer à feu doux. Mêlez les fromages à la fleur de maïs et incorporez-les progressivement au vin, sans cesser de remuer, jusqu'à ce qu'ils aient complètement fondu. Incorporez ensuite le concentré de tomate.

Récupérez la chair de l'avocat et réduisez-la en purée en y ajoutant le jus de citron. Incorporez cette purée ainsi que la crème sure au mélange de fromages. Poivrez. Poursuivez la cuisson à feu doux sans cesser de remuer, jusqu'à l'obtention d'un mélange épais et homogène. Enfin, servez accompagné des ingrédients à tremper, des trempettes et des salades.

4 à 6 *personnes*
Préparation : **10 à 15 minutes**
Cuisson : **10 minutes**

1 gousse d'ail
150 ml / 1/4 pt de vin blanc sec
350 g / 12 oz de gruyère râpé
100 g de feta (fromage grec) émiettée
2 c. à table de fleur de maïs
2 c. à table de concentré de tomate
1 gros avocat
3 c. à table de jus de citron jaune ou vert
3 c. à table de crème sure
Poivre noir fraîchement moulu

ACCOMPAGNEMENT

Pour tremper dans la préparation au fromage : tranches d'avocat arrosées de jus de citron, piments au vinaigre, lanières de poivron rouge, tranches de pain grec chaud. Sauce Salsa *(page 99)*, sauce à la crème sure *(page 103)* et salade verte composée *(page 114)*

SAUCES ET TREMPETTES

SAUCE **BLEUE**

DANS CETTE RECETTE, J'AI UTILISÉ DU ROQUEFORT, MAIS VOUS POUVEZ UTILISER N'IMPORTE QUEL FROMAGE BLEU. CHOISISSEZ DE PRÉFÉRENCE UN FROMAGE CRÉMEUX, QUI S'ÉCRASE FACILEMENT ET SE MÉLANGE BIEN.

Pour **350 ml / 12 oz de sauce**
Préparation : **5 minutes**
Réfrigération : **30 minutes**

250 ml / 8 oz de crème sure
3 c. à table de yaourt nature à 0 %
75 g / 3 oz de roquefort
2 c. à table de jus de citron
2 c. à thé de brandy (facultatif)
2 c. à table de ciboulette ciselée
Sel et poivre noir fraîchement moulu

Versez la crème sure dans un saladier et incorporez-y le yaourt. Emiettez le fromage, puis incorporez-le au mélange crème-yaourt.

Ajoutez le reste des ingrédients, transvasez la préparation dans le récipient de service, couvrez et réfrigérez 30 minutes avant de servir.

MAYONNAISE **VERTE**

MÊME SI CERTAINES MAYONNAISES DU COMMERCE NE SONT PAS MAUVAISES, RIEN NE VAUT UNE BONNE MAYONNAISE MAISON. SI VOUS N'AVEZ PAS DE ROBOT, VOUS POUVEZ MONTER CETTE MAYONNAISE À LA MAIN.

Pour **250 ml / 8 oz de sauce**
Préparation : **5 à 6 minutes**

1 jaune d'œuf
1/2 c. à thé de sel
1/2 c. à thé de moutarde en poudre
Poivre noir fraîchement moulu
1/2 c. à thé de sucre-semoule
150 ml / 1/4 pt d'huile d'olive
1 ou 2 c. à table de jus de citron
2 ciboules (échalotes), pelées et hachées
4 c. à table de cresson frais haché
1 c. à table de persil frais haché
2 c. à table de pignons grillés concassés

Dans le bol du robot, mettez le jaune d'œuf, le sel, le poivre et le sucre, et mixez. A vitesse lente, versez progressivement l'huile d'olive.

Versez ensuite le jus de citron.

Incorporez les ciboules (échalotes), le cresson, le persil et les pignons. Transvasez la mayonnaise dans le récipient de service, couvrez et réfrigérez jusqu'au moment de servir. Mélangez et dégustez.

SAUCE **AIGRE-DOUCE**

LA SAVEUR DE CETTE SAUCE S'ACCOMODE PARTICULIÈREMENT BIEN AVEC DE LA NOURRITURE RICHE COMME LE PORC OU DES POISSONS GRAS. ELLE EST AUSSI TRÈS BONNE AVEC DES PLATS À BASE DE POULET OU DE DINDE.

Mettez l'huile à chauffer dans une casserole et faites-y sauter le poivron et les oignons frais pendant 3 minutes.

Ajoutez le bouillon de poulet, la sauce de soja, le vinaigre, le gingembre et le miel, et laissez frémir 3 minutes. Portez ensuite à ébullition.

Délayez la fleur de maïs dans le jus d'ananas, et incorporez-les à la sauce sans cesser de remuer jusqu'à épaississement. Servez.

Pour **475 ml / 16 oz de sauce**
Préparation : **5 à 7 minutes**
Cuisson : **8 à 10 minutes**

1 c. à table d'huile
1 poivron rouge, épépiné et émincé
6 petits oignons frais, épluchés et émincés
150 ml / 1/4 pt de bouillon de poulet
1 c. à table de sauce de soja forte
1 c. à table de vinaigre de vin rouge
2 c. à table de racine de gingembre râpée
1 ou 2 c. à thé de miel clair
2 c. à table de fleur de maïs
85 ml / 3 oz de jus d'ananas

SAUCE **SATAY RAPIDE**

PLUS RAPIDE QUE LA RECETTE TRADITIONNELLE, LA PRÉPARATION DE CETTE SAUCE SATAY NE VOUS PRENDRA QUE QUELQUES MINUTES.

Mélangez tous les ingrédients, sauf le lait de coco, de façon homogène. Incorporez ensuite progressivement le lait de coco. Versez cette préparation dans une casserole et faites chauffer à feu doux.

Laissez cuire à feu doux pendant 2 à 4 minutes, jusqu'à ce que le mélange soit chaud. Servez tiède ou froid.

Pour **300 ml / $^1/_2$ pt de sauce**
Préparation : **3 à 4 minutes**
Cuisson : **2 à 4 minutes**

6 c. à table de beurre d'arachides crémeux ou croquant
$^1/_2$ c. à thé de chilli en poudre
$^1/_2$ c. à thé de gingembre en poudre
2 c. à table de jus de citron
1 c. à table de sauce de soja forte
150 ml / $^1/_4$ pt de lait de coco

SAUCE **SATAY**

CETTE PRÉPARATION, DE PLUS EN PLUS POPULAIRE, PEUT S'UTILISER COMME SAUCE OU COMME TREMPETTE, COMME MARINADE POUR LE POISSON, LA VOLAILLE ET LA VIANDE, OU ENCORE COMME ASSAISONNEMENT POUR LES CRUDITÉS.

Pour **475 ml / 16 oz de sauce**
Préparation : **8 minutes**
Cuisson : **10 à 11 minutes**

2 c. à table d'huile
2 oignons moyens, épluchés et émincés
2 ou 3 gousses d'ail écrasées
½ ou 1 c. à thé de chilli en poudre
75 g / 3 oz d'arachides grillées
150 ml / ¼ pt d'eau tiède
1 c. à table de cassonade
1 c. à table de jus de citron
1 c. à table de sauce de soja forte

Mettez l'huile à chauffer et faites-y revenir un oignon pendant 5 minutes, jusqu'à ce qu'il ait ramolli.

Mettez le deuxième oignon, l'ail, le chilli et les arachides dans le robot et mixez pour obtenir une pâte.

Incorporez petit à petit cette pâte à l'oignon ramolli et laissez cuire 2 à 3 minutes. Incorporez progressivement l'eau, puis ajoutez le sucre, le jus de citron et la sauce de soja. Portez à ébullition modérée pendant 2 minutes, jusqu'à ce que la sauce prenne forme. Servez.

SALSA

VOUS POUVEZ AJOUTER DIFFÉRENTS FRUITS, LÉGUMES ET ÉPICES À CETTE RECETTE DE BASE ET OBTENIR AINSI DIVERSES VARIANTES DE LA SALSA.

Pour **200 ml / 7 oz de sauce**
Préparation : **6 à 8 minutes**
Réfrigération : **30 minutes**

225 g / 8 oz de tomates bien mûres, pelées et épépinées
1 ou 2 piments, épépinés et hachés
4 petits oignons frais émincés
1 ou 2 c. à thé de miel clair tiédi
2 c. à table de coriandre fraîche ciselée
Sel et poivre noir fraîchement moulu
5 cm / 2 pouces de concombre, pelé et épépiné

Hachez finement les tomates et mettez-les dans un saladier avec les piments, les oignons frais, le miel et la coriandre. Assaisonnez.

Hachez finement le concombre et incorporez-le à la Salsa. Transvasez la préparation dans le récipient de service, couvrez et réfrigérez pendant 30 minutes.

VARIATIONS
Ajoutez à cette recette de base une petite mangue bien mûre, épluchée et hachée, ainsi qu'une cuillère à table de graines de sésame grillées.

Pelez et coupez en dés un avocat bien mûr. Arrosez-le de deux cuillères à table de jus de citron et ajoutez le tout à la recette de base.

Remplacez les tomates par la même quantité de petites tomates vertes pelées, épépinées, hachées, et cuites à feu doux dans deux cuillères à table de vin blanc. Ajoutez cette purée ainsi que deux cuillères à table de raisins secs à la recette de base.

SAUCE **TARTARE**

LA SAUCE TARTARE SE MARIE PARFAITEMENT AVEC TOUS LES POISSONS, LES LÉGUMES ET CERTAINS PLATS À BASE DE VOLAILLE. ELLE PEUT SE PRÉPARER À L'AVANCE ET SE CONSERVE JUSQU'À DEUX JOURS BIEN COUVERTE AU RÉFRIGÉRATEUR.

Pour **200 ml / 7 oz de sauce**
Préparation : **6 à 8 minutes**

1 jaune d'œuf
1/2 c. à thé de moutarde en poudre
1/2 c. à thé de sel
Poivre noir fraîchement moulu
1/2 c. à thé de sucre-semoule
150 ml / 1/4 pt d'huile d'olive
1 c. à table de vinaigre de vin blanc
2 c. à thé d'estragon frais ciselé
2 c. à thé de persil frais ciselé
1 c. à table de câpres hachées
1 c. à table de cornichons hachés
1 ou 2 c. à table de jus de citron

Mettez le jaune d'œuf dans un saladier avec la moutarde, le sel, le poivre et le sucre. Mélangez bien, puis incorporez l'huile petit à petit, sans cesser de fouetter énergiquement. Continuez de fouetter jusqu'à ce que la mayonnaise soit bien montée.

Une fois que toute l'huile a été versée, incorporez le vinaigre, les herbes hachées, les câpres, les cornichons et le jus de citron. Mélangez bien, puis versez la sauce dans le récipient de service, couvrez et laissez reposer environ 1 heure pour que toutes les saveurs se libèrent.

SAUCE **TOMATE VERTE**

LES TOMATILLOS SONT UNE VARIÉTÉ DE TOMATES VERTES DONT LA PEAU GONFLÉE RESSEMBLE À DU PAPIER. ELLES SONT AMÈRES ET ONT UN ARRIÈRE-GOÛT DE CITRON. CETTE AMERTUME DISPARAÎT LORSQUE LE FRUIT EST CUIT. VOUS POUVEZ VOUS PROCURER DES TOMATILLOS EN CONSERVE DANS LES ÉPICERIES FINES. SI VOUS N'EN TROUVEZ PAS, REMPLACEZ-LES PAR DES TOMATES VERTES ET AJOUTEZ UN JUS DE CITRON POUR RECRÉER LA SAVEUR DES TOMATILLOS.

Pour **300 ml / 1/2 pt de sauce**
Préparation : **8 minutes**
Cuisson : **15 minutes**

1 c. à table d'huile
1 ou 2 gousses d'ail écrasées
1 ou 2 piments rouges, épépinés et hachés
300 g / 10 oz de tomatillos en purée
150 ml / 1/4 pt de bouillon de légumes
1 ou 2 c. à thé de miel clair
Sel et poivre noir fraîchement moulu
2 c. à table de coriandre fraîche ciselée
2 c. à table de jus de citron vert
1 ou 1 1/2 c. à thé d'arrow-root

Mettez l'huile à chauffer dans une casserole, et faites-y revenir à feu doux l'ail, les piments et les tomatillos pendant 5 minutes. Ajoutez le bouillon et le miel, assaisonnez, puis laissez mijoter 10 minutes, jusqu'à ce que les tomatillos prennent la consistance d'une sauce.

Passez ce mélange au chinois puis reversez-le dans une casserole propre. Ajoutez la coriandre. Mélangez le jus de citron vert à l'arrow-root et incorporez le tout à la sauce tomate. Laissez cuire, en remuant de temps en temps, jusqu'à ce que la sauce s'épaississe et se clarifie. Corrigez l'assaisonnement et servez tiède ou froid.

SAUCE **TOMATE À LA DIABLE**

ON TROUVE AUJOURD'HUI TOUTES SORTES DE MOUTARDES DANS LE COMMERCE. POUR PLUS DE SAVEUR ET DE SUBTILITÉ, JE PRÉFÈRE CEPENDANT UTILISER LA POUDRE DE MOUTARDE, QUI NE LIBÈRE SA FORCE QU'UNE FOIS MÉLANGÉE À L'EAU.

Mettez le beurre à fondre dans une casserole, et faites-y revenir à feu doux l'oignon, le piment et l'ail pendant 3 minutes. Ajoutez le poivron haché, la moutarde et la farine, et laissez cuire encore 2 minutes.

Ajoutez les tomates, puis délayez le concentré de tomate dans le bouillon ou l'eau, et versez-le dans la casserole avec la sauce Worcestershire. Portez à ébullition, couvrez et laissez mijoter 10 minutes, en remuant de temps en temps.

Assaisonnez, mélangez bien, et servez cette sauce chaude.

Pour **350 ml / 12 oz de sauce**
Préparation : **6 à 8 minutes**
Cuisson : **15 minutes**

1 c. à table de beurre
1 petit oignon émincé
1 piment rouge, épépiné et émincé
1 ou 2 gousses d'ail écrasées
1 petit poivron rouge, épépiné et émincé
1 à 3 c. à thé de moutarde en poudre
1 c. à table de farine
225 g / 8 oz de tomates, pelées et concassées
1 c. à table de concentré de tomate
4 c. à table de bouillon ou d'eau
1 ou 2 c. à thé de sauce Worcestershire
Sel et poivre noir fraîchement moulu

TREMPETTE **À L'ORANGE**

SI VOUS N'AVEZ PAS DE RÂPE À ZESTE, PELEZ L'AGRUME EN SURFACE EN PRÉLEVANT DES MORCEAUX, LES PLUS FINS POSSIBLE, QUE VOUS COUPEREZ MENU. FAITES-LES BLANCHIR UN PEU PLUS LONGTEMPS.

Prélevez le zeste de l'orange et du citron et faites-le blanchir dans l'eau bouillante pendant 1 à 3 minutes (selon l'épaisseur). Rafraîchissez sous l'eau froide, égouttez et réservez.

Pressez les fruits et récupérez le jus dans une casserole. Ajoutez la marmelade, le vin rouge, le sucre et assaisonnez.

Portez à ébullition. Délayez l'arrow-root dans une cuillère à table d'eau, puis incorporez au mélange dans la casserole. Laissez cuire, en remuant de temps en temps, jusqu'à ce que la sauce s'épaississe et se clarifie. Incorporez enfin les zestes d'agrume blanchis et servez.

Pour **250 ml / 8 oz de sauce**
Préparation : **5 minutes**
Cuisson : **5 minutes**

1 orange
1 citron
6 c. à table de marmelade d'orange
4 c. à table de vin rouge
2 c. à table de cassonade
Sel et poivre noir fraîchement moulu
1 c. à thé d'arrow-root

SAUCE **MADÈRE**

CHAQUE FOIS QUE J'ENTAME UNE BOUTEILLE DE MADÈRE OU DE PORTO, J'ESSAIE DE TROUVER UN MOYEN DE LA TERMINER RAPIDEMENT, CAR CES ALCOOLS NE SE CONSERVENT PAS LONGTEMPS UNE FOIS OUVERTS. CETTE RECETTE, QUI EST DEVENUE L'UNE DE MES FAVORITES, EST UN BON MOYEN D'ÉCOULER LA BOUTEILLE.

Pour **300 ml / 1/2 pt de sauce**
Préparation : **5 minutes**
Cuisson : **10 minutes**

1 c. à table de beurre
50 g / 2 oz de champignons hachés
100 g / 4 oz de tomates, pelées, épépinées et concassées
1 c. à table de farine
150 ml / 1/4 pt de madère
2 c. à table de jus d'orange
1 c. à table de miel clair
Sel et poivre noir fraîchement moulu

Faites fondre le beurre dans une casserole et faites-y revenir les champignons pendant 5 minutes. Ajoutez les tomates et poursuivez la cuisson 2 minutes.

Verser la farine en pluie et laissez cuire 2 minutes. Hors du feu, incorporez progressivement le madère puis le jus d'orange. Remettez la casserole sur le feu et poursuivez la cuisson en remuant, jusqu'à ce que la sauce épaississe. Ajoutez enfin le miel et assaisonnez.

Laissez mijoter 2 minutes et servez.

SAUCE **À LA CRÈME SURE**

CETTE SAUCE ACCOMPAGNE PARFAITEMENT STEAKS ET RAGOÛTS. POUR LA RENDRE MOINS RICHE, REMPLACEZ LA MOITIÉ DE LA CRÈME PAR DU YAOURT NATURE À 0 % OU DU YAOURT GREC. VOUS POUVEZ ÉGALEMENT REMPLACER LE VINAIGRE À L'ESTRAGON PAR DU SHERRY, DU VIN BLANC OU DU VINAIGRE DE FRAMBOISE.

Pour **200 ml / 7 oz de sauce**
Préparation : **5 minutes, plus 30 minutes pour la marinade**

150 ml / 1/4 pt de crème sure
1 petit oignon finement haché
1 c. à table de câpres hachées
1/4 c. à thé de sel
1/2 c. à thé de poivre noir fraîchement moulu
1 c. à table de persil frais haché
2 c. à table de vinaigre à l'estragon

Mettez la crème sure dans un saladier et incorporez-y l'oignon, les câpres, le sel et le poivre. Ajoutez le persil, puis incorporez progressivement le vinaigre. Mélangez bien.

Transvasez dans le récipient de service, couvrez et laissez reposer au réfrigérateur pendant au moins 30 minutes pour que toutes les saveurs se libèrent.

RAITA **À L'INDIENNE**

CETTE SAUCE EST ONCTUEUSE, CRÉMEUSE ET TRÈS RAFRAÎCHISSANTE. ELLE SE MARIE HARMONIEUSEMENT AVEC LES PLATS RELEVÉS OU ÉPICÉS, ET SERA TRÈS APPRÉCIÉE PAR TEMPS CHAUD.

Pour **350 ml / 12 oz de sauce**
Préparation : **5 minutes**
Réfrigération : **30 minutes**

300 ml / 1/2 pt de yaourt nature à 0 %
7,5 cm / 3 pouces de concombre
2 c. à table de coriandre fraîche ciselée
1 c. à table de persil frais haché
1 c. à table de zeste de citron vert râpé
Sel et poivre noir fraîchement moulu

Mettez le yaourt dans un petit saladier. Pelez et épépinez le concombre, puis détaillez-le en tout petits dés.

Mélangez le concombre au yaourt, ajoutez les fines herbes, le zeste de citron vert, et assaisonnez. Mélangez délicatement.

Transvasez dans le récipient de service, couvrez et laissez reposer au réfrigérateur pendant au moins 30 minutes avant de servir.

MAYONNAISE **CRÉMEUSE AUX HERBES**

VARIEZ LES FINES HERBES EN FONCTION DU PLAT AVEC LEQUEL CETTE MAYONNAISE SERA SERVIE. CERTAINES HERBES S'ACCORDENT PLUS PARTICULIÈREMENT AVEC CERTAINS PLATS (COMME IL EST INDIQUÉ CI-DESSOUS).

Pour **250 ml / 8 oz de sauce**
Préparation : **8 à 9 minutes**

2 jaunes d'œuf
1/2 c. à thé de moutarde à l'ancienne
1/2 c. à thé de sel
1/2 c. à thé de poivre noir fraîchement moulu
1/2 c. à thé de sucre-semoule
150 ml / 1/4 pt d'huile d'olive
2 c. à table de jus de citron
2 c. à table de fines herbes ciselées (voir ci-dessous)
1 blanc d'œuf

Battez les jaunes d'œuf avec la moutarde, le sel, le poivre et le sucre. Incorporez progressivement l'huile en battant énergiquement jusqu'à ce que la mayonnaise soit bien montée.

Incorporez le jus de citron et les fines herbes, couvrez et réfrigérez jusqu'au moment de servir. Juste avant de servir, montez le blanc d'œuf en neige ferme, incorporez-le délicatement à la mayonnaise et servez.

Avec le poisson, essayez l'estragon, le persil et la ciboulette. Avec la volaille, choisissez quelques herbes parmi le cerfeuil, le persil, la coriandre, l'estragon, le basilic et la sauge. Pour des steaks, utilisez de la sauge, du thym, de l'origan et du romarin. Avec le porc, choisissez parmi la sauge, le thym, l'origan, le persil et la coriandre. Quant à l'agneau, il se marie bien avec le romarin, le basilic, l'origan, la marjolaine et la coriandre.

SALADES

SALADE **D'AVOCATS ET DE MANGUE**

LES FONDUES SONT GÉNÉRALEMENT ASSEZ RICHES, ET S'ACCOMPAGNENT DE CE FAIT FORT BIEN DE SALADES BIEN CRAQUANTES. CELLE-CI, AVEC SES FEUILLES DE SALADE AMÈRE, EST EXCELLENTE EN ACCOMPAGNEMENT DE FONDUES DE FROMAGE BIEN NOURRISSANTES.

4 *personnes*
Préparation : **8 à 10 minutes**

1 gros avocat bien mûr
2 c. à table de jus de citron vert
1 grosse mangue bien mûre
100 g / 4 oz de feuilles de salade amère, comme la chicorée, le mesclun, les jeunes pousses d'épinard ou la frisée
6 petits oignons frais émincés
100 g / 4 oz de tomates cerises, coupées en quatre
25 g / 1 oz de pignons grillés

ASSAISONNEMENT
3 c. à table d'huile d'olive
1 c. à table d'huile de noix
2 c. à table de jus d'orange
Sel et poivre noir fraîchement moulu
1 c. à thé de moutarde à l'ancienne
1 ou 2 c. à thé de miel clair

Pelez l'avocat, retirez le noyau et coupez la chair en tranches. Arrosez de jus de citron. Pelez la mangue et détaillez-la en lamelles également.

Rincez la salade, essorez-la et mettez-la dans un saladier. Disposez par-dessus les tranches d'avocat et de mangue, ainsi que les oignons et les tomates en rondelles. Mêlez à peine. Parsemez de pignons. Mettez tous les ingrédients de l'assaisonnement dans un shaker et agitez vigoureusement. Versez sur la salade et servez.

CHOUCROUTE EN SALADE

SI VOUS TROUVEZ LA CHOUCROUTE UN PEU TROP AGRESSIVE AU PALAIS, AJOUTEZ UN PEU PLUS DE MIEL DANS L'ASSAISONNEMENT — VOUS SEREZ AGRÉABLEMENT SURPRIS PAR LE RÉSULTAT.

6 *personnes*
Préparation : **5 à 8 minutes**

450 g / 1 lb de choucroute préparée, fraîche ou en conserve
1 oignon moyen finement émincé
4 gros cornichons
2 pommes rouges
2 c. à table de jus de citron
1 c. à table de persil frais haché
1 c. à table de basilic frais ciselé

ASSAISONNEMENT
5 c. à table d'huile d'olive
2 c. à table de jus de citron
2 ou 3 c. à thé de miel clair
Sel et poivre noir fraîchement moulu
1 c. à thé de carvi

Egouttez la choucroute et rincez-la bien, puis séchez-la sur du papier absorbant. Mettez-la dans un saladier avec l'oignon finement émincé.

Hachez les cornichons et mettez-les également dans le saladier. Lavez les pommes, ôtez le trognon et émincez-les. Arrosez-les de jus de citron, puis mettez-les dans le saladier avec les fines herbes.

Mettez tous les ingrédients de l'assaisonnement dans un shaker et agitez vigoureusement. Versez sur la salade et servez.

SALADE **VERTE CHINOISE MIXTE**

COMME LA PLUPART DES SALADES, CELLE-CI EST MEILLEURE QUAND ELLE EST PRÉPARÉE AU DERNIER MOMENT. VOUS N'AVEZ PLUS QU'À ASSAISONNER ET À SERVIR.

Mettez le chou chinois et les petits oignons frais dans un saladier. Pelez le concombre et détaillez-le en demi-lunes, puis ajoutez-le dans le saladier ainsi que le céleri, le poivron et les germes de soja.

Mettez tous les ingrédients de l'assaisonnement dans un shaker et agitez vigoureusement.

Juste avant de servir, assaisonnez la salade et mêlez. Mettez le tout dans le plat de service et parsemez de coriandre ciselée et d'arachides.

6 *personnes*
Préparation : **5 à 6 minutes**

200 g / 7 oz de chou chinois, lavé et finement émincé
8 petits oignons frais, épluchés et émincés
1/2 concombre (petit)
4 branches de céleri, nettoyées et émincées
1 poivron vert, épépiné et tranché
100 g / 4 oz de germes de soja
2 c. à table de coriandre fraîche ciselée
2 c. à table d'arachides nature grillées, grossièrement concassées

ASSAISONNEMENT
4 c. à table d'huile
1 c. à thé d'huile de sésame
1 c. à table de sauce de soja forte
2 c. à table de jus d'orange
Sel et poivre noir fraîchement moulu

RATATOUILLE **FROIDE**

POUR UNE SOIRÉE FONDUE DÉCONTRACTÉE, OÙ VOUS N'ÊTES PAS FORCÉMENT ATTABLÉS, IL EST PLUS FACILE DE MANGER DES SALADES COMPOSÉES D'INGRÉDIENTS COUPÉS EN GROS MORCEAUX DE LA TAILLE D'UNE BOUCHÉE.

4 à 6 *personnes*
Préparation : **12 à 15 minutes, plus 30 minutes au réfrigérateur**
Cuisson : **20 minutes**

4 c. à table d'huile d'olive
1 oignon moyen, épluché et émincé
2 ou 3 gousses d'ail écrasées
1 aubergine moyenne, détaillée en cubes
1 poivron rouge, épépiné et tranché
1 poivron jaune, épépiné et tranché
1 courgette, détaillée en rondelles
225 g / 8 oz de tomates concassées
100 g / 4 oz de champignons émincés
3 c. à table de vin blanc
Sel et poivre noir fraîchement moulu
2 c. à table de basilic frais ciselé

Mettez l'huile à chauffer dans une grande casserole. Faites-y sauter l'oignon, l'ail et l'aubergine pendant 5 minutes. Ajoutez les poivrons, la courgette, les tomates, les champignons et le vin blanc. Couvrez et laissez mijoter à feu doux 10 minutes, en remuant de temps en temps.

Assaisonnez et poursuivez la cuisson à feu doux pendant encore 5 minutes ; les légumes doivent être tendres mais rester en morceaux.

Laissez refroidir, puis mettez au réfrigérateur pendant au moins 30 minutes. Parsemez de basilic ciselé avant de servir.

SALADE **DE RIZ ÉPICÉE**

POUR RÉALISER CETTE SALADE, CHOISISSEZ VOTRE VARIÉTÉ DE RIZ FAVORITE. LES RIZ BLANC, SAUVAGE OU THAÏ CONVIENNENT PARTICULIÈREMENT POUR CETTE RECETTE.

6 *personnes*
Préparation : **10 minutes**
Cuisson : **15 à 18 minutes**

175 g / 6 oz de riz (voir la remarque ci-dessus)
1 c. à thé de cumin moulu
1/2 c. à thé de coriandre en poudre
2 grosses carottes, pelées et râpées
8 petits oignons frais, épluchés et émincés
1 poivron rouge, épépiné et détaillé en petits dés
100 g / 4 oz de raisins secs
2 c. à table de coriandre fraîche ciselée

ASSAISONNEMENT
4 c. à table d'huile d'olive
2 c. à table de jus d'orange
1/2 c. à thé de coriandre en poudre
1/2 c. à thé de piment en poudre
Sel et poivre noir fraîchement moulu

Faites cuire le riz dans de l'eau bouillante légèrement salée pendant 15 à 18 minutes, jusqu'à ce qu'il soit tendre. Egouttez-le et mettez-le dans un saladier. Ajoutez le cumin et la coriandre moulus.

Ajoutez les carottes, les petits oignons frais, le poivron, les raisins secs et la coriandre fraîche ciselée. Mélangez délicatement.

Mettez tous les ingrédients de l'assaisonnement dans un shaker et agitez vigoureusement, versez sur la salade et servez.

SALADE D'ARTICHAUTS ET DE HARICOTS VINAIGRETTE

POUR CETTE SALADE, VOUS POUVEZ UTILISER DES FONDS OU DES CŒURS D'ARTICHAUTS, LE RÉSULTAT SERA TOUT AUSSI DÉLICIEUX.

Equeutez les haricots verts, coupez-les en tronçons et mettez-les à cuire dans de l'eau bouillante salée pendant 5 à 7 minutes. Ils doivent rester légèrement craquants. Egouttez et rafraîchissez sous l'eau froide. Egouttez à nouveau et mettez-les dans un saladier.

Egouttez tous les haricots en conserve et rincez, puis ajoutez-les ainsi que les fonds ou les cœurs d'artichauts, les olives et les petits oignons frais.

Mélangez les ingrédients de l'assaisonnement et versez sur la salade. Mêlez délicatement et servez.

6 *personnes*
Préparation : **8 à 10 minutes**
Cuisson : **5 à 7 minutes**

300 g / 10 oz de haricots verts
400 g / 14 oz de haricots cannellini en conserve
200 g / 7 oz de haricots rouges en conserve
400 g / 14 oz de fonds ou de cœurs d'artichauts
75 g / 3 oz d'olives vertes et noires dénoyautées
6 petits oignons frais, épluchés et émincés

ASSAISONNEMENT
6 c. à table d'huile d'olive
2 c. à table de vinaigre de vin blanc
1 c. à thé de sucre-semoule
Sel et poivre noir fraîchement moulu
1 c. à table de persil frais haché
1 c. à table de coriandre fraîche ciselée

GARNITURE
Coriandre fraîche

SALADE **MÉDITERRANÉENNE**

SI VOUS AVEZ LA CHANCE D'HABITER À PROXIMITÉ D'UNE ÉPICERIE FINE, ESSAYEZ DE VOUS PROCURER DE GROSSES OLIVES MARINÉES POUR RÉALISER CETTE SALADE. IL EN EXISTE PLUSIEURS VARIÉTÉS, TOUTES AUSSI DÉLICIEUSES LES UNES QUE LES AUTRES. LE SEUL PROBLÈME, C'EST QU'IL VOUS FAUDRA EN ACHETER DEUX FOIS PLUS QUE NÉCESSAIRE DANS LA RECETTE, AFIN DE COMPENSER L'INÉVITABLE GRIGNOTAGE !

Mettez les cœurs d'artichauts dans un saladier. Rincez les tomates, coupez-les en deux et mettez-les également dans le saladier.

Essuyez les champignons, coupez-les en deux ou émincez-les s'ils sont gros, et mettez-les dans le saladier avec les olives.

Versez tous les ingrédients de l'assaisonnement dans un saladier et fouettez jusqu'à ce que le mélange soit émulsifié.

Tapissez les parois du saladier avec les feuilles de salade nettoyées, puis disposez les autres ingrédients au centre. Parsemez de sel gemme et de persil haché, et servez avec l'assaisonnement.

4 à 6 *personnes*
Préparation : **5 à 8 minutes**

450 g / 1 lb de cœurs d'artichauts en conserve, égouttés et tranchés
100 g / 4 oz de tomates cerises
100 g / 4 oz de petits champignons de Paris
75 g / 3 oz d'olives noires dénoyautées
175 g / 6 oz de salades mélangées
Sel gemme
2 c. à table de persil plat frais, ciselé

ASSAISONNEMENT
150 ml / 1/4 pt de crème sure
1 ou 2 c. à thé de moutarde de Dijon
2 c. à table d'huile d'olive
1 oignon haché
2 c. à table de câpres
1 c. à thé de sucre-semoule

COLESLAW **AU ZESTE D'ORANGE**

SI VOUS DISPOSEZ D'UN ROBOT DE CUISINE AVEC UNE FONCTION RÂPE OU TRANCHEUSE, UTILISEZ-LE POUR DÉTAILLER LE CHOU. LE GAIN DE TEMPS SERA CONSIDÉRABLE.

6 à 8 *personnes*
Préparation : **12 minutes**

450 g / 1 lb de chou blanc frais, finement émincé
2 grosses carottes
2 grosses oranges
1 poivron orange, épépiné et détaillé en petits dés
100 g / 4 oz de tomates cerises
75 g / 3 oz de raisins de Smyrne
2 c. à table de persil plat frais, ciselé

ASSAISONNEMENT
6 c. à table d'huile d'olive
2 c. à table de jus d'orange
1 c. à table de zeste d'orange râpé
1 c. à thé de moutarde
Sel et poivre noir fraîchement moulu

Mettez le chou blanc dans un saladier.

Pelez et râpez les carottes, pelez l'orange et détaillez-la en quartiers puis en morceaux. Ajoutez les carottes, le poivron orange, les tomates et les raisins au chou. Mêlez délicatement.

Mettez tous les ingrédients de l'assaisonnement dans un shaker et agitez vigoureusement. Versez sur la salade de chou et mêlez délicatement. Parsemez de persil plat ciselé et servez.

SALADE **VERTE COMPOSÉE**

LES FONDUES FROMAGÈRES SONT BOURRATIVES. C'EST POURQUOI UNE SALADE VERTE ET UN PEU DE PAIN CROUSTILLANT SUFFISENT AMPLEMENT POUR LES ACCOMPAGNER.

4 *personnes*
Préparation : **10 à 12 minutes**

1 gousse d'ail coupée en deux
1 salade romaine
1/2 concombre (petit)
3 branches de céleri, épluchées et émincées
1 poivron vert, épépiné
2 têtes de chicorée
6 petits oignons frais, épluchés
1 gros avocat bien mûr
2 c. à table de jus de citron
2 c. à table de persil grossièrement haché

ASSAISONNEMENT
5 c. à table d'huile d'olive
2 c. à table de vinaigre de vin blanc
1 c. à thé de moutarde de Dijon
Sel et poivre noir fraîchement moulu
1 ou 2 c. à thé de sucre-semoule

Frottez les parois du saladier avec la gousse d'ail coupée en deux. Nettoyez les feuilles de romaine, essorez-les, déchirez-les en petits morceaux et mettez-les dans le saladier.

Pelez le concombre et détaillez-le en cubes. Ajoutez-le à la romaine ainsi que le céleri.

Détaillez le poivron en demi-cercles et ajoutez-le à la salade. Parez la chicorée, nettoyez-la et disposez-la dans le saladier.

Emincez les oignons frais et parsemez-en la salade. Pelez l'avocat, enlevez le noyau, détaillez la chair en dés et arrosez-la de jus de citron, puis disposez dans le saladier. Parsemez de persil.

Mettez tous les ingrédients de l'assaisonnement dans un shaker et agitez vigoureusement jusqu'à ce que le mélange soit émulsifié. Versez sur la salade, mêlez délicatement et servez.

SALADE **DE CŒURS D'ARTICHAUTS**

VARIATION DE LA CÉLÈBRE SALADE WALDORF, CETTE SALADE FERA L'UNANIMITÉ PARMI VOS AMIS ET VOS PARENTS, COMME PARMI LES MIENS. VOUS POUVEZ, SI VOUS PRÉFÉREZ, REMPLACER LES CŒURS D'ARTICHAUTS PAR DES ASPERGES BLANCHES OU DES CŒURS DE PALMIERS EN CONSERVE.

Egouttez les cœurs d'artichauts et coupez-les en morceaux de la taille d'une bouchée. Nettoyez la salade, essorez-la bien et disposez-la dans le saladier.

Otez le trognon des pommes, coupez-les en rondelles et arrosez-les avec la moitié du jus de citron, puis mélangez-les avec les cœurs d'artichauts, le céleri émincé, les pacanes et les raisins.

Mélangez la mayonnaise au reste de jus de citron et au zeste de citron. Ajoutez cet assaisonnement à la salade et mêlez.

Tapissez les parois du saladier avec les feuilles de salade verte, puis disposez au centre les autres ingrédients mélangés. Décorez de feuilles de céleri et servez.

4 à 6 *personnes*
Préparation : **10 minutes**

450 g / 1 lb de cœurs d'artichauts en conserve
1 salade romaine grossièrement émincée
2 pommes vertes
4 c. à table de jus de citron
4 branches de céleri émincées
50 g / 2 oz de pacanes
75 g / 3 oz de raisin blanc sans pépin
6 c. à table de mayonnaise
1 c. à table de zeste de citron râpé

GARNITURE
Feuilles de céleri ciselées

SALADE **ÉPICÉE AUX POIVRONS ET AUX CHAMPIGNONS**

CETTE SALADE COLORÉE ET APPÉTISSANTE ACCOMPAGNE DE FAÇON IDÉALE DE NOMBREUSES FONDUES : ESSAYEZ-LA AVEC UNE FONDUE AU BŒUF, À LA VOLAILLE OU AU POISSON. C'EST UN RÉGAL !

4 *personnes*
Préparation : **15 minutes**
Cuisson : **10 minutes**

1 poivron rouge
1 poivron vert
1 poivron jaune
225 g / 8 oz de petits champignons de Paris
8 petits oignons frais, épluchés et émincés
3 c. à table d'olives noires dénoyautées et grossièrement émincées
Feuilles de salade

ASSAISONNEMENT
1/2 c. à thé de piment déshydraté en poudre
1 gousse d'ail écrasée
Sel et poivre noir fraîchement moulu
4 c. à table d'huile d'olive
1 ou 2 c. à thé de miel clair
1 c. à table de vinaigre balsamique

GARNITURE
Parmesan fraîchement râpé et basilic

Coupez les poivrons en quartiers, épépinez-les et retirez les membranes. Recouvrez la grille du four d'une feuille d'aluminium, disposez les poivrons dessus et passez 10 minutes sous le gril pour faire noircir les peaux. Mettez ensuite les poivrons dans un sac en plastique et laissez refroidir 10 minutes. Retirez la peau, émincez et disposez dans un saladier.

Essuyez les champignons, émincez-les finement et ajoutez-les aux poivrons ainsi que les petits oignons frais et les olives.

Mettez tous les ingrédients de l'assaisonnement dans un shaker et agitez vigoureusement jusqu'à ce que le mélange soit émulsifié. Versez sur le mélange poivrons-champignons et mêlez délicatement.

Disposez les feuilles de salade sur un plat de service, et mettez par-dessus le mélange poivrons-champignons. Saupoudrez de parmesan, décorez avec des brins de basilic et servez.

SALADE **DE POMMES DE TERRE ET POMMES FRUITS À LA CRÈME**

CETTE SALADE EST DÉLICIEUSE SERVIE CHAUDE OU FROIDE.

4 *personnes*
Préparation : **10 minutes**
Cuisson : **15 minutes**

450 g / 1 lb de pommes de terre nouvelles
1 oignon moyen émincé
6 petits oignons frais, épluchés et émincés
4 branches de céleri, épluchées et émincées
2 pommes
2 c. à table de jus de citron
50 g / 2 oz de pacanes
4 à 6 c. à table de mayonnaise
2 c. à table de yaourt grec nature
Sel et poivre noir fraîchement moulu
Feuilles de laitue
2 c. à table de menthe fraîche ciselée

Brossez les pommes de terre, coupez-les en deux et mettez-les à cuire dans de l'eau bouillante légèrement salée pendant 15 minutes. Elles doivent être tendres. Egouttez-les, laissez-les refroidir puis coupez-les en dés.

Mettez les pommes de terre dans un saladier avec l'oignon émincé, les petits oignons frais et les branches de céleri.

Epluchez les pommes si vous le souhaitez, ôtez le trognon et détaillez-les en dés. Arrosez de jus de citron pour ne pas qu'elles noircissent. Mélangez-les aux pommes de terre ainsi que les pacanes.

Mélangez la mayonnaise et le yaourt, assaisonnez, versez sur les pommes de terre et mélangez afin de les enrober légèrement. Versez le tout dans un saladier dont vous aurez tapissé les parois de feuilles de laitue, parsemez de menthe et servez.

TABOULÉ **À LA MENTHE ET AU CITRON**

CETTE DÉLICIEUSE SALADE PEUT AUSSI BIEN ÊTRE SERVIE EN HORS-D'ŒUVRE QU'EN ACCOMPAGNEMENT.

6 à 8 *personnes*
Préparation : **12 minutes, plus 10 minutes de repos**

225 g / 8 oz de boulgour
4 tomates moyennes
1/2 concombre (petit), épluché et détaillé en dés
8 petits oignons frais, épluchés et émincés
75 g / 3 oz de raisins secs
2 c. à table de persil frais haché
2 c. à table de menthe fraîche ciselée
2 c. à table de zeste de citron râpé
2 c. à table de jus de citron
4 c. à table d'huile d'olive
Sel et poivre noir fraîchement moulu

Recouvrez le boulgour d'eau tiède et laissez reposer environ 10 minutes, en remuant de temps en temps. Tapissez une passoire d'un linge propre et mettez le boulgour à égoutter, en exprimant le plus d'eau possible. Aérez avec une fourchette et mettez dans un saladier.

Coupez les tomates en quartiers, épépinez si vous le souhaitez, et détaillez en tout petits cubes. Ajoutez les tomates et le concombre au boulgour.

Incorporez les petits oignons frais, les raisins, les fines herbes et le zeste de citron, et mélangez.

Mélangez le jus de citron à l'huile d'olive, assaisonnez, et versez sur le taboulé. Mélangez délicatement avant de servir.

SALADE **DE HARICOTS ROUGES ET PEPPERONI**

CETTE SALADE EST PRATIQUEMENT UN PLAT COMPLET À ELLE SEULE. SI CERTAINS DE VOS INVITÉS SONT VÉGÉTARIENS, SERVEZ LE PEPPERONI À PART.

4 *personnes*
Préparation : **8 à 10 minutes**

400 g / 14 oz de haricots rouges en conserve
3 ciboules (échalotes) finement émincées
1 piment rouge, épépiné et émincé
100 g / 4 oz de tomates cerises
6 petits oignons frais, épluchés et émincés
75 g / 3 oz de pepperoni, détaillé en rondelles puis en quatre
1 c. à table de persil frais haché
1 c. à table de ciboulette ciselée
1 ou 2 c. à thé de sauce Worcestershire
3 c. à table d'huile d'olive
1 c. à table de vinaigre de vin rouge
Sel et poivre noir fraîchement moulu

Egouttez les haricots rouges et rincez-les sous l'eau froide, puis mettez-les dans un saladier avec les ciboules (échalotes) et le piment. Ajoutez les tomates, les petits oignons frais, le pepperoni et les fines herbes.

Mélangez la sauce Worcestershire à l'huile et au vinaigre, et assaisonnez. Versez sur la salade, mêlez délicatement. Mettez dans le saladier de service et dégustez.

DESSERTS

FONDUE **AU CHOCOLAT BLANC MARBRÉ AU CARAMEL**

CUISINEZ TOUJOURS AVEC UN CHOCOLAT DE HAUTE QUALITÉ : PLUS LA TENEUR EN BEURRE DE CACAO EST ÉLEVÉE, MEILLEUR SERA LE RÉSULTAT.

Cassez le chocolat en petits morceaux et mettez-le dans le poêlon avec la crème épaisse.

Laissez fondre à feu très doux, en remuant fréquemment jusqu'à ce que le chocolat soit totalement fondu et onctueux. Transférez prudemment le poêlon sur le réchaud allumé.

Mettez le sucre, la mélasse raffinée et le beurre dans une petite casserole à feu doux, jusqu'à ce que le mélange soit homogène. Hors du feu, ajoutez la crème légère.

Versez avec soin le caramel en spirale sur la fondue de chocolat blanc, puis servez avec des fruits frais et les biscuits à tremper.

6 à 8 *personnes*
Préparation : **5 minutes**
Cuisson : **6 à 8 minutes**

225 g / 8 oz de chocolat blanc
150 ml / 1/4 pt de crème riche
2 c. à table de cassonade
1 c. à table de mélasse raffinée
2 c. à table de beurre
2 c. à table de crème légère

ACCOMPAGNEMENT
Quartiers de poire, morceaux d'ananas, fraises, génoise aux noisettes et biscuits secs, à tremper dans la fondue

SUCCULENTE FONDUE **AU CHOCOLAT VELOUTÉ**

CETTE FONDUE EST VIVEMENT DÉCONSEILLÉE AUX PETITES NATURES. ELLE EST RICHE ET ORGIAQUE — UN BONHEUR DIVIN. COMME TOUTES LES FONDUES SUCRÉES, ELLE PEUT ÊTRE PRÉPARÉE DIRECTEMENT DANS LE POÊLON ET SERVIE SANS ÊTRE PLACÉE SUR LE RÉCHAUD : ELLE N'EN DEVIENT ALORS QUE PLUS SUCCULENTE ET TRAÎTRE, CAR ELLE S'ÉPAISSIT EN REFROIDISSANT ET AUGMENTE AINSI LA DOSE DE CHOCOLAT À CHAQUE BOUCHÉE.

Cassez le chocolat en petits morceaux, mettez-le dans le poêlon et versez la crème, le rhum ou le Cointreau, ainsi que le sucre si vous en utilisez.

Faites fondre à feu très doux, en remuant fréquemment, jusqu'à ce que la préparation soit tout à fait homogène.

Transférez prudemment le poêlon sur le réchaud allumé et servez avec des biscuits amaretti, des cookies aux pépites de chocolat, des fraises et des morceaux de banane à piquer sur les fourchettes à fondue et tremper dans le chocolat.

6 à 8 *personnes*
Préparation : **5 minutes**
Cuisson : **6 minutes**

225 g / 8 oz de chocolat noir de cuisine
250 ml / 8 oz de crème riche
3 ou 4 c. à table de rhum ou de Cointreau
1 c. à table de cassonade (facultatif)

ACCOMPAGNEMENT

Pour tremper dans la préparation au chocolat : biscuits amaretti, cookies aux pépites de chocolat, fraises et morceaux de banane

FONDUE **DE CHOCOLAT AU LAIT AUX NOISETTES**

LORSQUE VOUS PROJETEZ DE SERVIR UNE FONDUE SUCRÉE EN DESSERT, IL EST IMPORTANT DE BIEN ÉQUILIBRER VOTRE REPAS : EN EFFET, COMME CE TYPE DE DESSERT EST PARTICULIÈREMENT RICHE, L'ENTRÉE ET LE PLAT PRINCIPAL QUI PRÉCÈDENT DOIVENT ÊTRE LÉGERS.

4 *personnes*
Préparation : **4 à 5 minutes**
Cuisson : **6 à 8 minutes**

225 g / 8 oz de chocolat au lait
1 ou 2 c. à table de sirop d'érable
150 ml / $^{1}/_{4}$ pt de crème riche
2 c. à table de rhum
75 g / 3 oz de noisettes grillées, grossièrement hachées

ACCOMPAGNEMENT

Pour tremper dans la préparation au chocolat : quartiers de pomme, morceaux d'orange (prévoyez un fruit par personne), petites meringues et gâteaux secs au brandy

Cassez le chocolat en petits morceaux et mettez-le dans le poêlon avec le sirop d'érable, la crème et le rhum.

Faites fondre à feu très doux, en remuant fréquemment, jusqu'à ce que le chocolat ait complètement fondu et que la préparation soit homogène et onctueuse.

Incorporez les noisettes et servez avec des morceaux de fruit, de meringues et des biscuits secs au brandy que vous tremperez dans la préparation au chocolat.

FONDUE **DE SIROP D'ÉRABLE À LA CANNELLE**

TOUT LE MONDE RESTERA STUPÉFAIT PAR CETTE FONDUE DIABLEMENT SUCCULENTE. ELLE EST SI DÉLICIEUSE QUE L'ON CONTINUE À S'EN LÉCHER LES BABINES PENDANT DES HEURES.

4 *personnes*
Préparation : **3 à 4 minutes**
Cuisson : **5 minutes**

50 g / 2 oz de beurre
175 g / 6 oz de cassonade
$1^{1}/_{2}$ c. à thé de cannelle en poudre
350 ml / 12 oz de crème légère
2 c. à table de sirop d'érable
2 c. à table de fleur de maïs

ACCOMPAGNEMENT

Pour tremper dans la préparation au chocolat : fraises, billes de melon, morceaux d'ananas et de mangue, rectangles de gâteau de Savoie et sablés

Dans une casserole, mettez le beurre, le sucre et une cuillère à thé de cannelle, et faites chauffer à feu doux jusqu'à ce que le sucre soit dissous. Mélangez bien et portez à ébullition pendant 1 minute.

Incorporez la crème et le sirop dans la casserole. Délayez la fleur de maïs dans une cuillère à table d'eau et incorporez au mélange dans la casserole. Poursuivez la cuisson sans cesser de remuer, jusqu'à ce que le mélange épaississe.

Transvasez la préparation dans le poêlon à fondue et placez-le avec précaution sur le réchaud allumé. (Si le feu est trop fort, la fondue va légèrement brûler ; dans ce cas, laissez-la hors du feu un moment.) Saupoudrez avec le reste de cannelle. Servez avec les fruits et les biscuits à tremper.

FONDUE **À L'ORANGE ET AU BRANDY**

CETTE FONDUE VAUT LA PEINE QUE VOUS UTILISIEZ DES ORANGES FRAÎCHEMENT PRESSÉES PLUTÔT QUE DU CONCENTRÉ SURGELÉ. ELLE N'EN SERA QUE MEILLEURE, ET VOUS AUREZ EN PLUS L'APPÉTISSANTE PULPE.

4 *personnes*
Préparation : **3 minutes**
Cuisson : **6 à 8 minutes**

225 g / 8 oz de chocolat noir de cuisine
120 ml / 3 oz de jus d'oranges fraîchement pressées
4 c. à table de crème riche
2 c. à table de brandy
1 c. à thé de zeste d'orange râpé

ACCOMPAGNEMENT
Pour tremper dans la préparation au chocolat : profiteroles, biscuits au gingembre, chocolats à la menthe et guimauves

Cassez le chocolat en petits morceaux et mettez-le dans le poêlon avec le jus d'oranges. Faites chauffer jusqu'à ce que le chocolat soit fondu, puis mélangez pour que le tout soit homogène.

Incorporez la crème et faites chauffer à feu doux. Incorporez le brandy ainsi que le zeste d'orange. Poursuivez la cuisson tout en remuant jusqu'à ce que le mélange soit homogène et crémeux.

Transférez le poêlon sur le réchaud allumé et servez accompagné de profiteroles, de biscuits au gingembre, de chocolats à la menthe et de guimauves à tremper dans le chocolat.

FONDUE **AU COULIS DE CASSIS**

SI VOUS UTILISEZ DU JUS DE CASSIS SUCRÉ, NE RAJOUTEZ PAS DE SUCRE. MAIS SI VOUS UTILISEZ DES CASSIS FRAIS, FAITES-LES POCHER DÉLICATEMENT DANS DE L'EAU SUCRÉE, PUIS MIXEZ-LES AU ROBOT AFIN D'OBTENIR UN COULIS HOMOGÈNE.

4 *personnes*
Préparation : **3 à 4 minutes**
Cuisson : **5 à 7 minutes**

475 ml / 16 oz de jus ou de coulis de cassis
1 ou 2 c. à table de jus de citron
2 ou 3 c. à table de sucre-semoule, ou plus selon les goûts
250 ml / 8 oz de crème riche
2 c. à table de porto ou de madère
1 1/2 c. à table de fleur de maïs

ACCOMPAGNEMENT
Pour tremper dans la préparation : morceaux de banane et d'ananas, fraises, raisin sans pépin, macarons et petites meringues

Réservez 2 cuillères à table de jus ou de coulis de cassis, et versez le reste dans le poêlon. Mélangez au jus de citron et au sucre.

Faites tiédir à feu doux. Incorporez la crème et le porto ou le madère. Délayez la fleur de maïs dans le jus ou le coulis de cassis précédemment réservé, et incorporez-la au contenu du poêlon. Poursuivez la cuisson en remuant, jusqu'à ce que le mélange épaississe. Transférez prudemment le poêlon sur le réchaud allumé.

Servez avec les fruits, les macarons et les petites meringues.

FONDUE **CRÉMEUSE À LA GUIMAUVE**

DANS CETTE RECETTE, J'UTILISE UN MÉLANGE DE BAIES ESTIVALES, MAIS ELLE PEUT ÉGALEMENT ÊTRE RÉALISÉE AVEC UNIQUEMENT DES FRAMBOISES OU UN MÉLANGE FRAISES-FRAMBOISES. COMME TOUTES LES FONDUES SUCRÉES, CELLE-CI A TENDANCE À BRÛLER LÉGÈREMENT EN RAISON DE SA FORTE TENEUR EN SUCRE. DANS CE CAS, RETIREZ-LA DU FEU ET LAISSEZ-LA TIÉDIR. CELA NE VOUS EMPÊCHE PAS DE CONTINUER À Y FAIRE TREMPETTE AVEC VOS FRUITS ET VOS COOKIES !

Mixez les baies au robot afin d'obtenir un coulis que vous verserez dans le poêlon. Ajoutez les guimauves et la crème.

Chauffez à feu très doux, en remuant fréquemment, jusqu'à ce que le mélange soit homogène. Ne faites surtout pas bouillir la préparation. Incorporez le jus de citron, puis transférez prudemment le poêlon sur le réchaud allumé. Servez accompagné de guimauves, de rectangles de gâteau de Savoie, de macarons et de quartiers de pomme.

4 *personnes*
Préparation : **3 à 4 minutes**
Cuisson : **10 minutes**

225 g / 8 oz de baies d'été mélangées, décongelées si vous utilisez des fruits surgelés
225 g / 8 oz de guimauves
150 ml / $^{1}/_{4}$ pt de crème riche
1 ou 2 c. à table de jus de citron

ACCOMPAGNEMENT

Pour tremper dans la préparation : guimauves, rectangles de gâteau de Savoie, macarons et quartiers de pomme

FONDUE **AUX CERISES NOIRES**

POUR GAGNER DU TEMPS, UTILISEZ DES CERISES DÉNOYAUTÉES EN CONSERVE. SI VOUS SOUHAITEZ UTILISER DES CERISES FRAÎCHES, FAITES-LES D'ABORD DÉLICATEMENT POCHER DANS UN SIROP DE SUCRE PENDANT 10 À 15 MINUTES.

Hachez grossièrement les cerises. Incorporez 250 ml / 8 oz de jus de cerise à la crème. Versez le tout dans le poêlon, incorporez le sucre et faites chauffer à feu doux. Portez à ébullition modérée, puis incorporez les cerises et le kirsch.

Délayez l'arrow-root avec 1 cuillère à table de jus de cerise ou d'eau, puis incorporez à la fondue et poursuivez la cuisson en remuant, jusqu'à ce que le mélange épaississe.

Transférez prudemment le poêlon sur le réchaud allumé et servez accompagné de meringues, guimauves, fruits, noix de coco et sablés.

4 *personnes*
Préparation : **5 à 8 minutes**
Cuisson : **8 minutes**

425 g / 14 oz de cerises noires dénoyautées en conserve, dont vous réserverez le jus
150 ml / $^{1}/_{4}$ pt de crème riche
1 c. à table de sucre-semoule
1 c. à table de kirsch
1 c. à table d'arrow-root

ACCOMPAGNEMENT

Pour tremper dans la préparation : meringues allongées, guimauves, billes de melon, morceaux d'ananas, cubes de noix de coco fraîche et sablés allongés

INDEX